CW00840540

1

Bibliografische Information der Deutschen Nationalbibliothek
Die Deutsche Nationalbibliothek verzeichnet diese Publikation in der Deutschen Nationalbibliografie; detaillierte bibliografische Daten sind im Internet über http://dnb.d-nb.de abrufbar.

© 2010 Stefan Soeffky
Herstellung und Verlag: Books on Demand GmbH, Norderstedt
ISBN 9783839167816

Danke an die Verwandtschaft, KIA, das Solaris und das ganze Punk-Volk aus Düsseldorf (Ihr wollt ja so genannt werden!) dafür, dass ich nicht alleine bin. Danke auch an Freunde von früher. Danke den Autoren für die Bücher und Texte, den Weisen und Wissenschaftlern für die Erkenntnisse, den Musikern für die Musik, den Filmschaffenden für die Filme, all den Künstlern für ihre Kunst, den Köchen für das Essen, den Erfindern und Technikern für die ganzen Sachen. Danke allen Weltverbesserern für die Erträglichkeit des Ganzen.

Matrix (lat. *matrix* „Gebärmutter", eigentl. „Muttertier")

Wikipedia – die freie Enzyklopädie

„Seines eigenen Lebens Zuschauer zu werden bedeutet, den Leiden des Lebens zu entrinnen."

Oscar Wilde

OM TA RE TUTTA RE TU RE SO HA

Mantra der grünen Tara,
der göttlichen Mutter der Weisheit
-   aus dem Tibetischen Buddhismus

Was zu Anfang leider ganz
deutlich gesagt werden muss:

Dieses Buch enthält keine Aussagen zu
Politik.
Viele Inhalte des Buches erheben keinerlei
Anspruch auf Wahrheit im
wissenschaftlichen Sinn.
Dieses Buch enthält keine Informationen
über Präastronautik, rituellen Missbrauch
oder Weltverschwörungen.
Dieses Buch soll Einzelnen Möglichkeiten
aufzeigen.

Inhalt

Einleitung

In meinem Philosophiestudium erlebte ich folgende Situation wiederholt: Uns Studenten wurde in einer Vorlesung über Philosophiegeschichte in neunzig Minuten das Werk eines berühmten Denkers zusammenfassend vorgestellt, und es wirkte auf mich völlig plausibel und in sich schlüssig. In der nächsten Woche geschah dasselbe mit dem Werk eines anderen Denkers. Auch dieses wirkte auf mich plausibel, nur widersprach es dem Werk des Denkers, der in der Woche zuvor behandelt worden war.

Wie soll ich da sagen können, einer der beiden Denker habe die Wahrheit gesagt? Damals hieß Philosophie für mich noch Suche nach Wahrheit, und schließlich vergrößerte sich mein Verständnis der Existenzphilosophie, und sie überzeugte mich. Ich nannte mich Existenzialist und sagte damit, was ich für Wahrheit hielt.

Doch ich weiß, dass viele Menschen mit anderen Weltanschauungen, ob sie nun der klassischen Philosophie entstammen oder nicht, allen Grund haben, ihre jeweilige Weltanschauung für die Wahrheit zu halten. Wie könnte ich da sagen, das, was in diesem Buch steht, sei *die Wahrheit*.

Ich verspreche: Dieses Buch enthält keine einzige Behauptung. Ein unwahrscheinlich aufmerksamer Leser könnte die Paradoxie im vorangegangenen Satz bemerkt haben. Der Satz ist selbst eine Behauptung, und wäre dadurch im Fall seiner Gültigkeit unwahr. Ich kann mein Versprechen also nicht ganz einhalten, aber bemühe mich redlich darum.

Es geht mir nicht darum, die Aussagen in diesem Buch gegen andere zu verteidigen. Wären sie wahr, hätten sie das auch nicht nötig. Eine Wahrheit kann nicht wahrer werden, wenn man einen Kampf für sie gewinnt. Wahrheit hat es nicht nötig Kriege zu befehligen. Wahrheit kann überzeugen, einleuchten, wahrgenommen werden, geglaubt werden, ignoriert werden, geahnt werden oder nach langer Zeit herausgefunden werden. Vielleicht ist es sogar so, dass Lüge und Irrtum zu demselben imstande sind.

Man hält hier jedoch kein nihilistisches Buch in den Händen. Es geht hier nicht um nichts, sondern um allerlei etwas, um eine ganze Fülle davon sogar.

Ohne sagen zu können, ob dieses Buch die Wahrheit enthält oder eher ein anderes, kann ich verraten, dass es Informationen enthält, die zumindest für mich wertvoll sind, und es, wie ich vermute, für viele Menschen sein können.

Übrigens habe ich mein Philosophiestudium ohne Abschluss abgebrochen, und muss deshalb nicht wie akademische Philosophen um meinen Ruf in der Welt der Wissenschaft besorgt sein. Ich kenne Bücher, die mit dem akademischen Wissenschaftsbetrieb viel weniger in Einklang zu bringen sind, aber auf dem Buchmarkt ein erfolgreiches Dasein fristen.

So richte ich mich nach meinem Verständnis auch direkt an den Leser, der mit den Inhalten des Buches umzugehen wissen wird. Ich rechne nicht damit, dass dieses Buch der Wissenschaft Anstöße geben wird. Ich würde wohl begrüßen, täte es das doch. Aber vielleicht geht das hier Gesagte viele Wissenschaftler von heute auch gar nichts an.

Was ich in diesem Buch betreibe, ist Synkretismus. Sowohl Wim Wenders als auch Peter J. Carroll beklagten in neueren Werken Orientierungslosigkeit und Beliebigkeit in der gegenwärtigen Zeit, ganz offenkundig Resultat der wachsenden Anzahl von Kommunikationswegen, zugänglichen Informationen und Möglichkeiten des Konsums, die wohl in erster Linie durch die Verbreitung des

Internets entstanden sind. Wenders und Carroll machen unterschiedliche Vorschläge, wie dem Problem beizukommen sei. Synkretismus scheint mir ebenfalls eine Lösung.

Für mich stellt dieses Vorgehen auch eine Auswertung beschrittener Wege dar. Neben einigen praktischen Tricks, wie dem Konsum von Rotbuschtee (etwa drei Tassen täglich) bei aufkommenden Depressionen, immer wieder unterschiedlich diszipliniertem Sport, künstlerischer Selbstverwirklichung, ein paar Malen Heilfasten in zehn Jahren und der tatsächlichen Durchführung verschiedener spiritueller Übungen, haben wohl die Informationen in diesem Buch dazu beigetragen, dass ich heute, fünfzehn Jahre nach dem ersten Aufkeimen von Spiritualität, wesentlich gesünder, unangreifbarer und zufriedener bin als ich es damals war. Ich war ein hässlicher, kranker, leidender, verblendeter, diskriminierter, zu oft einsamer Jugendlicher.

Nun sage ich noch ganz deutlich, dass dies ein philosophisches Buch ist. Philosophia bedeutet bekanntlich Liebe zur Weisheit und aus meiner Liebe zur Weisheit heraus kommt es zur Entstehung dieses Buches.

Wissenschaft möchte Wissen von Wahrheit und kennt dafür verlässliche Methoden. Weisheit jedoch ist unter Umständen mehr als Wissen von Wahrheit. In Deutschland kennen wir noch die „weise Entscheidung", sonst deutet jedoch nicht viel darauf hin, dass wir auch Praxis als weise ansehen könnten. Mit dem Englischen Adjektiv „wise" können wir dann schon eher ganz richtig Methoden, Strategien oder Handlungen assoziieren. Die in der akademischen Philosophie viel zu kurz kommende Meditation setzen wir auch ganz recht mit Weisheit in Verbindung. Für unbefangene nicht-akademische Leser scheint oft auch Mystik oder Esoterik mit Weisheit im Bunde zu sein. Der Schritt zu Okkultismus und Magie ist nicht weit. In Asien werden vielen Weisen Zauberkräfte nachgesagt. Bei den berühmten Philosophen des Abendlandes sucht man hingegen leider vergeblich nach Berichten von Wundertaten. Der Stein der Weisen (engl. „philosopher's stone") entstammt der Alchimie, die ihrerseits Verbindungen zu Astrologie und Kabbala aufweist. Wer Weisheit liebt, mag sich in der Tat für all das hier Erwähnte interessieren, und nicht nur für die Gegenstände der Schulphilosophie, die längst die Politik des Verbietens und Ausgrenzens

Andersdenkender angenommen hat. Internationaler Buchhandel und Internet informieren jedoch jeden Weisheitsliebenden heute über jede erdenkliche Form von Weisheit.

Die Lehrer des Tibetischen Dzogchen, einer Tradition innerhalb des Buddhismus, die ihr Hauptaugenmerk auf Meditation legt und ausführlich über erkenntnistheoretische Einsichten daraus berichtet, bitten ihre Schüler um zusätzliches Praktizieren der Mahamudra-Tradition. Mahamudra beinhaltet rituelle Praktiken wie das Aufsagen von Mantras zur Erfüllung von Wünschen. Die gleichen oder ähnliche Praktiken finden wir im Westen unter den Stichworten Okkultismus und Magie. In Tibet wird also philosophische Einsicht des Dzogchen mit magischer Praxis des Mahamudra gepaart. Wieso leben dann im Westen Philosophie, die viel zur Ergründung des Geistes beigetragen hat, und Okkultismus so streng voneinander getrennt? Wieso verabscheuen Anhänger des Einen das Andere oder beweisen regelmäßig Unkenntnis und fehlendes Verständnis des Anderen? In Tibet gilt nur die Kombination zweier analoger Traditionen als wirklich zum Ziel führend. Ich bin bereit, beide Seiten im Rahmen meiner Möglichkeiten ein Stück zusammenzuführen und danke Peter Sloterdijk, dessen jüngstes Werk mir vorliegt, für die darin erkennbaren zumindest nah verwandten Bemühungen, wenn ich auch nicht in allen Punkten mit ihm einer Meinung bin.

In der Esoterikszene gibt es eine Strömung namens Chaosmagie. Wikipedia klärt mittlerweile richtig und angemessen über dieses Stichwort auf, viele andere deutschsprachige Quellen dagegen enthalten grauenerregend falsche Darstellungen. Eine grundlegende Psychotechnik, die in der Chaosmagie verwendet wird, besteht darin seinen Glauben zu ändern. Chaosmagier nehmen Glaubenssätze an oder verwerfen sie – für sich ganz persönlich, je nachdem, ob sie funktionieren oder nicht. Im klassischen Sinn urteilen Chaosmagier damit gar nicht über die Wahrheit dieser Glaubenssätze. Es geht ihnen weniger um Wissenschaft als um Pragmatik. Nun, dieses Buch hier soll in einen Glauben einführen, der sich besonders bewährt hat, ohne dass gefordert wird, diesen Glauben als wissenschaftliche Wahrheit anzuerkennen. Und es ist und bleibt dennoch Philosophie, denn der präsentierte Glaube ist weise.

Ich habe in meinem Leben schon verschiedene Perspektiven eingenommen, unter anderem die in diesem Buch präsentierte(n). Damit unternehme ich keinerlei Versuch, andere Perspektiven zu zerstören, die ich auch schon eingenommen habe.

Die Wissenschaft soll ruhig Wissenschaft bleiben. Ich bin kein Wissenschaftsfeind, wenn ich mich auch in Gefilde der Esoterik begebe. Ich kann in meinem Stuhl vor- und zurückwippen, weil die Wissenschaft in der Vergangenheit etwas über Mechanik herausgefunden hat. Ohne Wissenschaft gäbe es keine Elektronik und Fernmeldetechnik, durch die ich mittlerweile fast unendlich viel unterschiedliche Musik hören kann, und ich liebe Musik sehr und unwahrscheinlich viel davon. Ich bin also der Wissenschaft dankbar.

Und ich habe dennoch allen Grund, mich auch zu Esoterik zu bekennen. Ich litt lange Jahre an einer chronischen Hautkrankheit, für die die Schulmedizin kein Heilmittel zur Verfügung stellt. In einer Phase, in der ich mit esoterischen Psychotechniken und Okkultismus experimentierte, heilte die Hautkrankheit zum ersten Mal seit etwa zwölf Jahren vollständig ab. Bis heute kam es noch mal gelegentlich zum Aufflackern einzelner Herde, aber nie mehr zum gleichen chronischen Erscheinungsbild und dem begleitenden Leidensdruck. Das ist nur eine meiner positiven Erfahrungen mit sogenannter Esoterik, aber bis heute die wichtigste. Ich habe allen Grund zu glauben, was ich in dieses Buch schreibe. Ein Wissenschaftsgläubiger mag die Heilung für Zufall halten. Da könnte ich eben so gut Ergebnisse experimenteller Studien für Zufall halten. Der wichtige Punkt ist, dass die Wissenschaft mir ja nun nicht helfen konnte. Damit will ich nicht sagen, dass sie falsch liegt, aber eben auch noch nicht alles weiß oder alles kann. Und ich bin überzeugt, dass es da draußen Pechvögel gibt, denen auch noch keine Wissenschaft helfen kann. Aber möglicherweise können sie sich mit dem, was dieses Buch bietet, selbst helfen.

Nun hält man ein Buch mit so einem abgefahrenen Titel in den Händen. Mancher Leser glaubt jetzt schon genau zu wissen, was ich für einer bin, was ich sagen will, und schlimmstenfalls hasst er das, wovon er glaubt, dass ich es vertrete. Deshalb kann ich gar nicht früh genug Folgendes betonen:

Ich bin kein Solipsist und in diesem Buch wird kein Solipsismus vertreten. Die klare Abgrenzung vom Solipsismus werde ich später vornehmen.

Realismus behält im Rahmen des hier Gesagten volle Gültigkeit. Ich unterstütze die These, dass empirische Forschung zu wahren Erkenntnissen kommt, voll und ganz, insgeheim sogar noch konsequenter als manche Wissenschaftsgläubige.

Der erste Matrixfilm kam bereits vor zehn Jahren in die Kinos und seitdem haben auch schon ein paar Buchautoren den Film als Aufhänger für ihre Thesen genutzt. Dass der Film einen philosophischen Aspekt hat, ist recht offensichtlich, und ich habe das auch Berufsphilosophen bekräftigen hören. Am leichtesten ist eine Verbindung zu Platons Höhlengleichnis herzustellen, das mich hier aber weniger interessieren soll, da ich nur eine relative Gültigkeit der These der ewigen Ideen erkennen kann. Sicher ist jedoch, dass die Matrixfilme bereits durch irgendetwas inspiriert waren. Der philosophische Aspekt des Films ist nicht von den Drehbuchautoren *erfunden*, sondern übernommen aus Zeugnissen bestimmter Erfahrungen. Diese Erfahrungen sollen mich hier interessieren und die Frage, wie wahr denn nun die Idee der Matrix ist. Und dabei wird sich automatisch eine ganze Menge nutzbringender Anwendbarkeit offenbaren.

Was sich uns zunächst darbietet

Wollen wir etwas tun, etwas verbessern, etwas erreichen, ist es nützlich zu wissen, was wir ändern können und was nicht. Wir könnten viel Energie verschwenden und uns aufreiben, wollten wir etwas ändern, das sich nicht ändern lässt oder nur sehr schwer. Je klarer die Wahrnehmung unserer Situation, desto souveräner können wir auf sie einwirken. Wir sollten wahrnehmen können, wie wahrscheinlich welches Ereignis ist, was mit welcher Wahrscheinlichkeit gleich bleiben wird. Ein solides Wissen über unsere Welt und unsere Fähigkeiten, schützt uns davor, Zeit und Energie zu verschwenden, andere Chancen ungenutzt zu lassen, indem wir etwas versuchen, was so unwahrscheinlich ist, dass wir dazu nicht fähig sind.

Unter gewissen Bedingungen können wir jedoch mehr, als man uns in der Schule gelehrt hat. Ich hoffe ich kann Lesern dazu verhelfen, solche Bedingungen herzustellen.

Halbwegs über Physik aufgeklärt stellt sich mir die Welt etwa folgendermaßen dar:

Uns umgibt ein dreidimensionaler Raum, der jedem Etwas darin eine Position erlaubt.

Ich bin gezwungen, mich in der Zeit immer vorwärts zu bewegen. Ich kann nicht in die Vergangenheit zurückkehren. Ständig wird die Gegenwart zu Vergangenheit und durch die nächste Zukunft abgelöst. Immerhin bietet sich in der Gegenwart immer die Chance Veränderungen vorzunehmen. Die Zukunft erscheint voller Möglichkeiten, die unterschiedlich wahrscheinlich sind.

Ich habe gelernt, dass alle sinnlich wahrnehmbaren Objekte aus Molekülen, Atomen, letztlich Quanten bestehen. Ich habe bis jetzt keinen Grund daran zu zweifeln. Allerlei funktionierende Technologie beruht auf diesen Annahmen, was für ihre Gültigkeit spricht. Ob die Funktionalität die Gültigkeit der Annahmen beweist, ist eine schwierigere Frage. Für mich haben die Annahmen immer funktioniert. Letztlich bestehen alle materiellen Formen aus sich wiederholenden Bewegungen.

Ich habe etwas über Wärmelehre und Mechanik gelernt und dadurch eine Vorstellung von Energie bekommen. Energie scheint letztlich die Möglichkeit von etwas, seine Position zu verändern. Energie kann in unterschiedlichen Mengen an Orten vorkommen. Diese Mengen heißen Quanten. Sehr kleine Quanten kommen ungefähr in Kugelformen vor, aus denen größere materielle Formen bestehen. Das sind Regeln, denen in mehreren Jahrzehnten meines Lebens alles in meiner alltäglichen Erfahrung zu folgen schien. Wenn die Welt, in der ich lebe, mit einer Computersimulation vergleichbar ist, könnten das grundsätzliche Programmroutinen einer solchen Simulation sein. Was ich da eben zusammengefasst habe, bewegt sich so in etwa im Rahmen der Physik, die man in der Schule für gewöhnlich lernt, mehr oder weniger. Eigentlich macht Physik noch ein paar mehr Aussagen über die Wirklichkeit, aber die meisten davon scheinen genau so immer zuzutreffen, wie diese paar ganz einfachen Aussagen.

Eine Eigenschaft der Realität ist folgende: Wenn ich ein Objekt in der Realität für real halte, muss ich jedes andere Objekt in der Realität ebenfalls für real halten.

Wenn die Welt die Matrix ist, hat die Physik wohl die allgemeingültigsten Spielregeln der Matrix herausgefunden, oder befindet sich auf dem Weg dahin, noch mehr Spielregeln der Matrix herauszufinden. Wenn die Welt die Matrix ist, macht die Physik wahre Aussagen über die Matrix.

Mechanik, Relativitätstheorie und Quantenphysik haben in der Matrix eindeutig quantifizierbare Geltungsbereiche.

Die Idee von Ego und höherem Selbst

Bei der Suche in esoterischen oder mystischen Überlieferungen gelangen Viele zu einer bestimmten Vorstellung, von der unterschiedliche Varianten existieren, nämlich dem Gedanken, sie selbst seien eigentlich mehr als ihr Ego. Das Ego wird als relativ und begrenzt aufgefasst, als eine Art Spiegelung eines höheren Selbstes. Das Selbst wird aufgefasst als eine umfassendere, absolutere, ewigere, unter Umständen außerhalb der Realität befindliche, freiere und fähigere Identität.

Diese Gegenüberstellung von Ego und Selbst kommt in ausgesprochen vielen esoterischen Überlieferungen vor. Manchmal wird sie nur angedeutet, ihre Relation zu anderem Seienden unterschiedlich aufgefasst, manchmal sehr explizit ausgesprochen, manchmal nur sehr kurz am Rande erwähnt, oft wird darauf aufgebaut.

Im Buddhismus finden wir sehr oft die Gegenüberstellung von Ego und Buddhanatur, die ich mir erlaube im hier angedeuteten Sinn zu verstehen, wenn auch verschiedene buddhistische Lehrer sehr unterschiedliche Aussagen zu diesen

Begriffen machen, was nicht heißen muss, dass sie sich wirklich widersprechen.

Bei manchen Existenzphilosophen finden wir nah verwandte Konzepte, manchmal mit anderen Worten bezeichnet, manchmal ausgezeichnet durch veränderte Interpretationen derselben Worte. In den Seth-Büchern von Jane Roberts wird dieses Grundkonzept ebenfalls vermittelt, in einen spezifischen Zusammenhang gesetzt.

Es scheint unmöglich, das Ego-Selbst-Konzept naturwissenschaftlich zu beweisen. Kontemplative Empirie spricht oft für seine Wahrheit, was allerdings wenig Überzeugungskraft für den nicht oder anders Kontemplierenden haben dürfte. Ein starkes Argument für dieses Konzept ist allerdings seine Nützlichkeit.

Das älteste Zeugnis dieses Konzeptes (Ego – Selbst), mit dem ich vertraut bin, ist das indische Samkhya. Über Vorläufer weiß ich nichts. Die Möglichkeit, dass dieses Konzept vorher in mündlichen Überlieferungen, die heute verloren sind, enthalten war, ist immerhin nicht auszuschließen.

Samkhya ist eine vergleichsweise einfache Philosophie, in Form einer relativ überschaubaren Systematik. Einzelne Aspekte des Samkhya tauchen durchweg in späteren Philosophien und Heilslehren wieder auf. So sind beispielsweise bestimmte Annahmen des Materialismus ebenso mit Teilen des Samkhya identisch wie Aussagen des Buddhismus mit anderen. Auch bei Platon und vielen späteren westlichen Philosophen finden sich immer wieder einzelne Übereinstimmungen zum Samkhya, ohne dass ich hier eine nachweisbare historische Verbindung von Griechenland nach Indien behaupten möchte. Vermutet wird eine solche Verbindung von Kennern der Geistesgeschichte nicht selten. Aber zu mehr als einer Vermutung bin ich in diesem Punkt auch nicht imstande.

Wenn es um Samkhya geht, ist eine richtige, genaue Darstellung von äußerster Wichtigkeit. Allen Unkenrufen zum Trotz kann ich den Wikipediaartikel zum Stichwort Samkhya zu diesem Zweck empfehlen. Eine weitaus detailliertere Darstellung fand ich in einem ausgezeichneten Buch von Oscar M. Hintze mit dem Titel „Der Lichtweg des Samkhya". Wen das Wort „Lichtweg" im Titel stört, den bitte ich darauf nicht weiter achtzugeben. Das Buch bietet eine sachliche Darstellung der Samkhyaphilosophie, versehen mit einigen äußerst interessanten Exkursen, auf weitaus höherem Niveau als dem vieler

24

Autoren, die üblicherweise die Worte Licht oder auch Dunkelheit fetischisieren.

Der zentrale Aufhänger des Samkhya ist die Unterscheidung von Purusha und Prakriti. Purusha ist der Geist, das Selbst und Prakriti die Materie. Samkhya behauptet, allein diese Unterscheidung zu vollziehen, das heißt den eigenen Purusha und die Wirklichkeit zu unterscheiden, befreie von späteren leidvollen Wiedergeburten. Diese Unterscheidung nur einmal wirklich gemacht zu haben stelle bereits eine Form von Erleuchtung dar. Die Verblendung, die alles Leid verursache, bestehe darin, dass Purusha einen Teil von Prakriti für sich selbst hält. Eine Besonderheit im Samkhya ist, dass Purusha als rein passiver, untätiger Geist dargestellt wird, und alle Aktivität in Prakriti stattfindet. Ein Professor von mir wies einmal auf den Wortteil „Wirk" in „Wirklichkeit" hin. Man kann sich alle Wirklichkeit vorstellen als das, was wirkt. Angesichts ständig kreisender Partikel in den Atomen allüberall eine bestechende Vorstellung.

So befindet sich also ein bewusster, passiver, ungewordener und unsterblicher Geist gegenüber der aktiven, veränderlichen, nicht bewussten Wirklichkeit. Im Samkhya wird nicht etwa die Wirklichkeit als Illusion bezeichnet, sondern die Täuschung des Geistes, er sei ein Teil der Wirklichkeit.

Es kann nicht schaden, wenn meine Leser nun wirklich einmal diese Unterscheidung vollziehen, so einfach wird ein Schlüssel zu einer Erleuchtung selten dargeboten. Es mag sein, dass jemand aber unbedingt einmal wiedergeboren werden möchte, und die Übung ihm deshalb widerstrebt. Der Lehre nach verbietet diese Erleuchtung, genannt Moksha, nicht die spätere Wiedergeburt, sondern erlöst nur vom Zwang zur Wiedergeburt. Es gibt also nichts zu befürchten.

Lernt man diese Grundlage des Samkhya, kann das bereits tiefe Meditationserfahrungen auslösen, was genau im Sinn meines Buches ist.

Die Prakriti, wie sie sich dem Purusha darbietet, gliedert sich laut dem Samkhya nun in 24 Einzelelemte, genannt Tattvas. Zusammen mit dem Purusha spricht man von den 25 Tattvas. Die Aufzählung der Tattvas enthält im Übrigen bereits die Lehre der vier Elemente, die später wieder in der griechischen Philosophie auftaucht, um mal ganz deutlich mit dem Finger auf eine auffällige Gemeinsamkeit zu zeigen. Für eine genaue Darstellung aller Tattvas und ihrer Zusammenhänge eignet sich das oben erwähnte Buch von Oscar M. Hintze.

26

Egal ob Philosoph oder Esoteriker, man sollte das Samkhya kennen, es ist eine der frühesten Lehren, die man beiden Bereichen zuordnen könnte und die Grundlagen für sehr viele spätere Entwicklungen enthält.

Beharrt jemand darauf, er sei nur in seinem Körper mitten in der Welt, dem sagt das Samkhya, das sei nur sein Ego - im Samkhya genannt Citta, für das er sich als Purusha hält. Dem Citta, selbst einem Teil der blinden Materie entspringen der Lehre nach alle persönlichen Handlungen, und nicht etwa dem Purusha, der vollkommen passiv ist.

Citta wird als außerordentlich funktional dargestellt und selbst noch einmal in drei Teile unterteilt, die in Verbindung mit weiteren Funktionen stehen. Für eine genauere Darstellung verweise ich nun wieder auf das Buch von Oscar M. Hintze. Für unsere Zwecke soll diese vereinfachende Darstellung reichen. Wichtig war ihre Richtigkeit und an einigen Stellen die Wortwahl.

Ich möchte noch erwähnen, dass Samkhya keine solipsistische Philosophie darstellt. Laut dem Samkhya hat jeder Mensch da draußen seinen eigenen Purusha. Jeder Purusha ist individuell und nicht etwa ein All-Wesen.

Wer die letzten Absätze genau liest und einmal versucht, die Unterscheidung seines Purusha von der Prakriti zu vollziehen, hilft diesem Buch seinen Zweck zu erfüllen.

Mein Referat des Samkhya sollte die Vorstellung einführen, unser Selbst, was wir eigentlich sind, befinde sich gar nicht in der Wirklichkeit, sondern außerhalb davon. Samkhya versteht sich übrigens selbst schon nicht als die alleinige Wahrheit. Samkhya gilt stattdessen als eine Sichtweise (Dharana) neben anderen Lehren. Dennoch kann eine richtige Auffassung des Samkhya mit seinen Kernaussagen eben zu besonderen Erfahrungen verleiten. Die Inhalte des Samkhya so wie sie sind einmal zu lernen, ist selbst schon eine wichtige spirituelle Übung. Vielleicht ist Samkhya gar nicht in allen Punkten wahr, aber ich würde sagen, Samkhya ist ein Matrix-Hack.

Im Film Matrix wird die Hauptfigur Neo aus dieser Welt befreit, die nur eine Computersimulation sein soll und er kann über ein Steuerpult die Wirklichkeit, die Matrix manipulieren. Das sind schon die Elemente des Films, die mir für dieses Buch wichtig sind. Sie decken sich weitgehend mit Meditationserfahrungen von mir, auch mit Meditationserfahrungen, die ich bereits 1996 hatte, bevor es den

Film Matrix gab. Dennoch ist Matrix nur ein Hollywoodstreifen und nicht die wortwörtliche Wahrheit. Für mich deutet nichts daraufhin, dass wir Sklaven oder gar Batterien von Maschinen sind, dass es böse Agenten der Matrix gäbe. Diese Elemente enthält der Film nur, damit er spannend ist. Wir müssen über der Vorstellung der Matrix nicht paranoid werden. In Meditationszuständen außerhalb der Wirklichkeit haben wir keine Kämpfe auszufechten, wir sind dort frei.

Ein Matrix-Hacker transzendiert sein Ego. Er muss es nicht zerstören. Vielleicht ändert er es, vielleicht auch nicht.

Nicht in allen Lehren, die Selbst und Ego unterscheiden, wird das Selbst als ganz passiv und untätig dargestellt. In den Sethbüchern von Jane Roberts werden dem Selbst allerlei Fähigkeiten zugeschrieben, die das Ego – das Alltagsbewusstsein nicht habe.

In dem zum Einstieg in das Thema sehr empfehlenswerten Buch „Gespräche mit Seth" von Jane Roberts wird von unterschiedlichen veränderten Bewusstseinszuständen erzählt, die eine größere Kontrolle über die Wirklichkeit von einem entfernten Blickwinkel aus ermöglichen sollen.

Genau da will ein Matrix-Hacker hin. Diese Zustände entsprechen genau Neos Platz am Schaltpult. Einmal dort angelangt, weiß man für gewöhnlich, wie der Matrix-Code zu manipulieren ist. Dieses Wissen wird nicht unbedingt im Alltagsbewusstsein erinnert, wenn der Zustand wieder verlassen wird. Manches deutet daraufhin, dass solche Zustände manchmal sogar im Schlaf erreicht werden, und man sich am Tag gar nicht daran erinnert. Sagen wir einmal, dein höheres Selbst ist gerade jetzt an diesem Platz. Vielleicht weiß dein Ego davon, vielleicht auch nicht. Vielleicht verbirgt sich dein Selbst vor deinem Ego, vielleicht ist es bereit, etwas von sich zu offenbaren. Es kann dem Ego sogar mal einen Streich spielen, um zu zeigen, dass es da ist.

Wenn wir an diesen Ort gelangen wollen, hilft erfahrungsgemäß nur eins: Meditation. Wer nicht meditiert, ist kein richtiger Matrix-Hacker, sondern im besten Fall ein kleiner Schummler, um es mal provokativ auszudrücken. Aber selbst für einen Schummler besteht Hoffnung. Es wird kein Morpheus mit einer blauen Pille erscheinen, der dir die Mühe abnimmt.

Irgendwie scheinen die Matrix-Hacks über die ganze Matrix verteilt zu sein. So findet man eine gute Beschreibung des Zustandes, um den es uns geht, zwar in einem Buch aus den Siebziger Jahren mit etwas seltsam anmutender Entstehungsgeschichte, die besten Anleitungen zum Erreichen des Zustandes haben ihre Wurzeln jedoch vor Jahrtausenden in Asien. Es ist ratsam, sich dem Buddhismus und Angrenzendem zuzuwenden.

Die Wichtigkeit von Meditation im Buddhismus kann kaum überschätzt werden. Buddhistische Meditationsexperten nehmen solche Buddhisten, die sich allein auf Rezitation, Gebet und Opfergaben verlassen, manchmal gar nicht richtig für voll, ohne allerdings diesen Praktiken ihre Wirkung abzusprechen.

Schon eine gute Meditation kann von einer ganzen Menge Leid befreien, behaupten buddhistische Meditationslehrer. Als ich zum ersten Mal mit dieser Aussage konfrontiert wurde, habe ich auf mein bisheriges Leben zurückgeblickt und musste tatsächlich feststellen, dass die besten und interessantesten Zeiten meines Lebens immer auf Phasen folgten, in denen ich regelmäßig meditiert habe. Deshalb glaube ich dieser Behauptung. Oft war vorher alles festgefahren und ich wusste nicht mehr aus noch ein. Nach Meditationsphasen wurden

Verbesserungen erst möglich und traten dann auch nach und nach ein. Wie bei magischen Praktiken anderer Couleur, sollte man auch hier Geduld in Bezug auf Resultate haben. Verbesserungen müssen nicht nach drei Tagen oder drei Wochen eintreten. Es kann auch länger dauern. Mit einiger Erfahrung kann man sich jedoch irgendwann darauf verlassen, dass sie eintreten. Oft verschwindet erst Schlechtes und es kehrt Ruhe ein, bevor wirklich Gutes hinzukommt.

Leider kenne ich gestandene Leute, nette, gesunde, vernünftige Menschen, die mir sagten, sie seien zu Meditation nicht in der Lage, sie könnten das nicht. Jemand anders sagte mir, er habe zu großen Respekt vor Meditation. Das Thema ist für ihn also leicht angstbesetzt. Ich gehe mal davon aus, dass die Leser dieses Buches in diesem Punkt mehr Offenheit und Interesse mitbringen, sonst hat es wenig Sinn ein Buch wie dieses zu lesen. Nun ja, es gibt noch andere Matrix-Hacks als Meditation, die dennoch funktionieren könnten. Ich werde später noch darauf zu sprechen kommen. Das wäre dann im Vergleich zu Meditation eben eher nur schummeln, aber ist nicht verboten. Meditation hat anscheinend aber noch die Eigenschaft, jeden anderen Matrix-Hack in seiner

Wirksamkeit zu verstärken, wenn er mit Meditation kombiniert wird. Deshalb kann ich die Wirksamkeit von relativen Schummel-Hacks ohne Meditationserfahrung leider nicht garantieren.

Ich bin selbst nicht der beste Meditierer. Ich habe wohl mehr als einmal allertiefste Zustände erreicht, aber es gab auch immer wieder Zeiten, in denen ich mich zu Meditation kaum in der Lage fühlte. Ich werde später noch darüber spekulieren, ob es metaphysische Gründe dafür geben kann.

Sicher gibt es auch einen Zusammenhang zwischen der Fähigkeit zur Meditation und der Lebensführung. Ganz prosaische Faktoren wie, welche Nahrungsmittel und Substanzen man zu sich nimmt, haben einen Einfluss auf Meditation. So fiel es mir zum Beispiel während des Heilfastens am leichtesten besonders tiefe Meditationszustände zu erreichen. Viele Meditierer berichten, dass sich Akohol- oder Drogenkonsum negativ auf Meditation auswirkt, dass sie unter diesen Umständen schlechter meditieren konnten. Das scheint mir allerdings auch kein ehernes Gesetz zu sein, es gibt Ausnahmen. Wer sich aber zum Beispiel zu Meditation unfähig fühlt und regelmäßig trinkt, der sollte versuchen seine Trinkgewohnheiten zu ändern und es dann weiter mit Meditation versuchen, wenn er denn meditieren will. Koffein und Teein scheinen sich manchmal förderlich auf Meditation auszuwirken, manchmal störend. Das Beste, was man jedoch tun kann, ist das Meditieren regelmäßig zu versuchen, so gut es geht, auch wenn es mal nicht so klappt.

Mir wurde von Anhängern des Tibetischen Buddhismus vermittelt, die regelmäßige Übung überhaupt zu vollziehen, und wenn man sich auch nur zu den ersten Schritten in der Lage fühlt, befreie bereits von Leid. Außerdem kann Folgendes passieren: An vier Tagen übt man sich in Meditation aber kommt nicht weit, erreicht keine tiefen Zustände, am fünften Tag sind aus heiterem Himmel alle Bedingungen perfekt und, als man sich wie gewohnt übt, erreicht man einen vollkommenen Zustand, der vielleicht dem Leben eine neue Richtung gibt – plötzlich scheint es, als habe man jahrelang vorher geschlafen.

Nun, ich habe die besten Meditationserfahrungen immer im Zusammenhang mit Buddhismus gemacht. Ganz klar, dass ich nun buddhistische Praxis empfehle. Für alles in diesem Buch gilt jedoch: Sollte es für einen Leser nicht funktionieren, wird er sich nach einer

Alternative umsehen müssen. Ich werde aber ohnehin noch allerlei vermitteln, was sich praktisch anwenden lässt.

So gibt es auch innerhalb des Buddhismus zahlreiche verschiedene Traditionen und Schulen. Der eine folgt dankbar dem Zen, ein anderer findet alles, was er gesucht hat, in der von Nichiren begründeten Schule, noch ein anderer findet ein Zuhause im Tibetischen Dzogchen usw.

Machen wir uns noch eines ganz klar: Buddhismus verfolgt ein klar definiertes Ziel – Befreiung vom Leid. Das ist das eine höchste Ziel buddhistischer Praxis, nicht mehr und nicht weniger. Bei meiner letzten Hinwendung zum Buddhismus war ich in Leid verstrickt, ich habe einige Monate bis jetzt im Rahmen meiner Möglichkeiten praktiziert und bin momentan frei von Leid. Ich sehe also einen ganz pragmatischen Nutzen darin. Verwechseln wir also nicht vorschnell das Ziel des Buddhismus mit unseren Erwartungen, die etwa Nihilismus, Magie, Gesundheit oder anderes sein könnten. Diese Dinge überschneiden sich tatsächlich mit Buddhismus, sind aber nicht das eigentliche Ziel. Jedenfalls tut man dem Buddhismus nicht unbedingt unrecht, wenn man ihn als Methode auffasst, und deshalb eher nach seinem Nutzen als seiner Wahrheit beurteilt.

In diesem Buch geht es darum, wie der Zustand zu erreichen ist, der dem von Neo an der Konsole entspricht. Nach meiner Erfahrung kann man diesen Zustand durch buddhistische Praxis erreichen. Das oberste Ziel des Buddhismus ist und bleibt jedoch Befreiung von Leid. So oder so – die Praxis hat einen Nutzen.

Bevor wir uns endlich praktischen Übungen zuwenden, kommen wir noch kurz auf das Weltbild des Buddhismus zu sprechen. Gerade im Tibetischen Buddhismus findet man sehr systematische Darstellungen dieses Weltbildes. Wegen der Fülle von Quellen zu diesem Thema wird es einem interessierten Leser nicht schwer fallen, ausführlichere Darstellungen als meine zu finden, weshalb ich mich mit einer ganz knappen Zusammenfassung begnüge, die viele Aspekte außer Acht lässt.

Der Buddhismus besagt, wir leben in Samsara. Samsara besteht aus sechs Welten oder Daseinsbereichen, unsere Welt ist eine davon. Üblicherweise werden wir nach dem Tod in einer dieser Welten wiedergeboren. In jeder Wiedergeburt in Samsara müssen wir jedoch Leid erfahren. Es gebe jedoch etwas außerhalb von Samsara, das Nirvana. Das Nirvana lässt sich durch kein sprachliches oder gedankliches Konzept angemessen beschreiben. Erreichen wir das Nirvana, sind wir von leidvollen Wiedergeburten befreit. Samsara ist relativ, Nirvana ist absolut. Ich erlaube mir, es dem Leser zu überlassen, ob er dieses Weltbild wortwörtlich glaubt oder nicht. Setzt man ein gewisses Talent voraus, könnten manche Leser allerdings bereits auf dieser Grundlage effektiv meditieren.

In den Matrixfilmen wird die Welt dargestellt als eine Computersimulation, aus der man aussteigen kann. Von außerhalb lässt sie sich effektiv manipulieren. Das nur zum Vergleich. Übrigens fand ich mal eine Empfehlung der Matrixfilme in einem buddhistischen Lehrbuch, bin wohl also nicht der einzige, der da eine Verbindung sieht.

Ich selbst bin geneigt, weder die eine noch die andere Anschauung ganz wörtlich zu nehmen. Letztlich soll sich ja das Nirvana, und da wollen wir hin, allen Konzepten entziehen. Nehmen wir einfach mal das bisher Gelernte ganz locker und wenden uns der Meditation selbst zu. Ich werde mich im Folgenden bemühen, soviel über Meditation in Worten zu sagen, wie ich kann. Ich werde mich dem Thema aus verschiedenen Richtungen nähern und versuchen, so weit zu kommen wie möglich. Die verschiedenen Techniken, die ich anführe, lassen sich kombinieren. Keineswegs kann ich hier alle Meditationstechniken anführen. Es gibt noch ganz andere Arten von Meditation als die, die ich nennen werde. Viele davon führen jedoch zu ganz anderen Ergebnissen.

Das Wichtigste ist, dass der Leser versucht, die Übungen wirklich durchzuführen, dass er sich die angemessene Zeit dafür nimmt. Man sollte einfach etwas Ruhe haben für die Übungen. Bei wenig Erfahrung sollte man am Anfang nur ein bisschen versuchen, dafür aber möglichst jeden Tag. Muss man aus irgendwelchen Gründen zwei Tage Pause machen, ist das auch nicht weiter schlimm. Ich kenne da ein seltsames Phänomen: Man denkt vielleicht, Meditation koste zuviel Zeit, man habe soviel anderes zu tun. Meist ist es aber so, dass wenn man sich Zeit für Meditation nimmt, man den Rest des Tages sogar mehr schafft als sonst. Ich kann nicht erklären, wieso das so ist, habe es aber immer wieder erlebt. Es wird wohl ein Matrix-Hack sein.

Beginnen wir nun mit einzelnen Techniken:

Nicht-Denken

Der Titel des Abschnitts sagt schon, was zu tun ist: Einfach mit dem Denken aufhören. Wer darin Erfahrung hat, kann das eines Tages wann immer er will und auf Kommando. Ich weiß jedoch, wie schwer mir das früher mal fiel. Kann man einmal aufhören zu denken, wird es nicht etwa schwieriger zu denken, man kann dann jederzeit damit anfangen oder wieder aufhören, wann man möchte.

Wie bei vielen Meditationen üblich setzt man sich erstmal bequem hin, öffnet oder schließt die Augen je nach Geschmack, und beendet einfach den Fluss der Gedanken. Oh je, kann das am Anfang schwer sein! Man beendet vielleicht sprachliches Denken, und zur Abwechslung steigt ein inneres Bild auf. Das ist es nicht. Wir wollen auch keine Bilder denken. Auch Gefühle sollen uns jetzt nicht weiter interessieren. Einfach nur sitzen und nicht denken! Beobachten dürfen wir, einfach so, aber bitte nicht mehr denken.

Niemand stirbt, weil er aufhört zu denken. Es gibt keinen Grund, vor dem Nicht-Denken Angst zu haben. Du kannst so souverän sein, das Denken einfach zu stoppen. Ich bitte dich, jetzt nicht stundenlang über Souveränität oder anderes zu philosophieren. Du sollst einfach nicht denken.

Wer das noch nicht kann, soll es tun! Dieses Buch kann seinen Zweck nicht erfüllen, wenn der Leser nicht mitarbeitet. Unter Umständen kann diese Übung schon weiter, in tiefere Zustände führen. In dem Fall wird das Selbst des Lesers schon wissen, was zu tun ist, und wissen...

Die nächsten beiden Übungen bauen auf dieser Übung auf.

Nicht-Tun

Wir erweitern einfach das Nicht-Denken, indem wir überhaupt nichts tun. Das ist übrigens eher ein Stück Weg als ein Ziel. Wir sitzen einfach und denken nicht, und tun überhaupt nichts, und wenn es nur für einen Moment ist. Wenn etwas geschieht, soll es geschehen, wir tun nichts.

40

Energie sammeln

Eine eher relative Übung, die allerdings manchmal höchst nützlich sein kann. Dadurch dass wir nicht denken und überhaupt nichts tun, *verbrauchen wir mal überhaupt keine Energie.* Wir sammeln unsere Energie einfach an – Sammlung. Je länger wir nichts tun, desto mehr Energie sammeln wir, die uns dann später zur Verfügung steht. Von irgendwoher strömt unsere Energie in uns hinein. Das lassen wir einfach geschehen, und statt sie durch Denken und Handeln zu verbrauchen, sammeln wir sie einfach an, indem wir nichts tun. Diese Übung ist eine kleine Segnung, wenn auch nicht unbedingt direkt der Weg zum höchsten Ziel.

Die gute Basis – Entspannung

Nun, was ist mit der Körperhaltung? Beispielsweise im Zen wird eine ganz bestimmte Körperhaltung für die Meditation eingenommen. So, und jetzt sage ich mal ganz rotzfrech, dass ich exakt diese Haltung gar nicht einnehmen kann. Meine Beine sind dazu nicht in der Lage.

Dennoch habe ich schon tiefste Meditationszustände erreicht, die mein Leben verändert haben. Ich bin nicht der erste, der sich der Frage nach der Körperhaltung ungezwungen nähert.

Die Haltung sollte bequem sein. Ganz wichtig ist, dass wir in eben dieser Haltung länger verweilen können, ohne die Haltung ändern zu müssen. Ich bin so offen, dass ich für absolute Anfänger sogar Meditation im Liegen empfehlen kann, wenn auch normalerweise immer vom Sitzen die Rede ist.

Angenommen, man meditiert im Sitzen, dann sollte man sich vor Beginn der eigentlichen Meditation ruhig einen Moment, oder mehrere Momente Zeit nehmen, um sich richtig bequem hinzusetzen. Wenn die Hose noch irgendwo kneift, setzt man sich besser noch mal anders hin, bis sie nicht mehr kneift. Man findet schon die richtige Haltung, aber die ganzen Verwerfungen in der Matrix, die einen hindern wollen, kann man eben noch beseitigen. Oh Gott, der Gürtel kneift sogar! Dann den Gürtel aufmachen! Die Nase ist zu! Dann noch mal die Nase putzen! Sich nötigenfalls mal Aushusten! Wenn man damit fertig ist, kann man vielleicht noch eben kurz über sich selbst lachen und die Anstalten, die man da macht. Das kann danach sogar einen Bonus beim höheren Selbst geben. Das ganze Theater nimmt ein Ende. Man findet die richtige Haltung.

Ruhiges gleichmäßiges Atmen ist jetzt wichtig, also tun wir das! Es könnte ja mal vorkommen, dass in diesem Moment das Herz rast, egal warum. Dann atmen wir ruhig und gleichmäßig weiter, bis es sich beruhigt. Dann wissen wir auch schon mal, was man gegen Herzrasen unternehmen kann. Jetzt machen wir uns schon mal keine Sorgen mehr und vergessen mal eben, manche Dinge für furchtbar wichtig zu halten.

So, können wir uns entspannen? Wer es nicht kann, dem kann nun ein Herr Jacobson mit seiner progressiven Muskelentspannung helfen. Ja, wer ein Matrix-Hacker werden will, muss sich solche Infos verschaffen können. Wer sich nicht entspannen kann, googelt bitte „Progressive Muskelentspannung" und sucht nach Möglichkeiten, diese zu üben.

Nehmen wir nun an, wir können uns entspannen. Oft sind irgendwelche Muskeln angespannt, die es eigentlich gar nicht sein müssten. Vielleicht wollen wir irgendwas? Wir entspannen diese Muskeln. Wir lernen dabei, dass unser Bewusstsein Muskeln entspannen, Verkrampfungen lösen, etwas entspannen und lösen kann, einfach so, als es selbst.

Unter Umständen kann es nun noch helfen, sich zu sagen, dass irgendein Teil von uns das Atmen übernimmt und sich um alles kümmert, was im Körper so vor sich geht, so dass das Bewusstsein was anderes machen kann. Das ist die Basis, und an sich schon sehr wohltuend und hilfreich – Entspannung. Jetzt kann es losgehen, Neo!

Achtsamkeit

Je nach persönlichen Voraussetzungen kann die folgende Meditation entweder das Leben von Grund auf verändern, oder als allzu selbstverständlich erscheinen. Der Schritt muss allerdings gemacht werden. Auch wenn man jemand ist, dem diese Meditation schon sehr leicht fällt, sie einfach noch mal zu machen, ist immer sinnvoll.

Das Meditieren besteht hier in nichts weiter als zu beobachten, bewusst zu sein. Anfangs kann man sitzend die Augen schließen und ruhig atmen und beobachtet einfach den Atem. Man kann die Atemzüge zählen und im Bewusstsein nichts sein lassen als die Zahl des Atemzugs, von Eins bis Zehn und wieder von vorne. Man beobachtet einfach.

Man kann auch einfach seine Gedanken beobachten, seine Wahrnehmungen einfach beobachten, oder auch jede seiner Handlungen einfach beobachten. Das Beobachten, das bewusst Sein soll einfach aufrechterhalten werden.

Den Beobachter finden

Während man bewusst ist, beobachtet, versucht man das zu finden, was beobachtet, was bewusst ist, versucht es wahrzunehmen und diese Wahrnehmung so gut es geht aufrechtzuerhalten.

„Cogito ergo sum" als Meditation

Diese Meditation vollzieht man im Gegensatz zu anderen denkend. Während man denkt, versucht man die Quelle seiner Gedanken zu erfassen – sich selbst als Quelle seiner Gedanken zu erfassen, die Wahrnehmung dieser Quelle versucht man aufrechtzuerhalten, auch wenn einem das nur kurz gelingen mag.

Kontemplation von Relativ und Absolut

Man bedenke, was relativ ist und was
absolut ist, versuche meditierend Relatives
und Absolutes zu identifizieren. Ein
Streben hin zu dem, was man als absolut
identifiziert, ist schon ganz gut...

Nicht-Anhaften

Man ist in allerlei verstrickt, die eigene
Energie kann in Konstellationen gestaut
sein, man identifiziert sich mit etwas. Mit
offenem Bewusstsein löst man einfach so
Verstrickungen, entspannt und hört mit
dem Anhaften auf. Laut dem Buddhismus
verstrickt einen das Anhaften in Leid. Man
löst die Verstrickung, haftet nicht an.

Nicht-Identifikation

Man kann sich bei jedem Objekt des
eigenen Bewusstseins sagen: „Das bin nicht
ich." Egal, was einem in den Sinn kommt –
„Das bin nicht ich". Das führt man immer
weiter fort.

Die Leere

Nicht denkend kann man ganz in der Leere verweilen, kann ganz leer sein, alles als leer durchschauen. Dann ist nur Leere.

Finden des Selbstes

Die Leere ist noch nicht der letzte Schritt. In der Leere gibt es ein Etwas zu finden, das, was du wirklich bist, deine Buddha-Natur, dein wahres Wesen, dein Selbst. Höchstes Ziel für uns ist nun die Identifikation damit bei Nicht-Identifikation mit Ego und Körper.

Ein wirklicher Glückspilz bist du, wenn du eine Vorstellung deines Selbstes, ein Bild deiner Buddha-Natur in Erinnerung behalten kann. Später kannst du dich vom Alltagsbewusstsein aus darauf besinnen, während Ritualen ist das äußerst effektiv, das kann dir immer wieder helfen.

Es ist übrigens dennoch wahr, dass das wahre Wesen sich den Konzepten des Egos entzieht, es ist gewissermaßen eigenschaftslos.

Nach matriximmanenter Logik kann in der Matrix nichts existieren, das die

Eigenschaft der Eigenschaftslosigkeit hat, außerhalb davon vielleicht schon.

Fazit aus Meditationserfahrungen

Nun weiß ich an diesem Punkt nicht, wie weit der Leser mit den Übungen gekommen ist, oder ob er sie überhaupt durchgeführt hat. Es gibt verschiedene Ziele, die man mit diesen Übungen erreichen kann.

Es kann mal passieren, dass man in einer Meditation einfach einschläft. Das ist nicht weiter schlimm. In dem Fall hat man dann eben ein erholsames Nickerchen gehalten, aber eben noch nicht meditiert. Auch um Träumen sollte es nicht gehen.

Erreicht man durch Meditation vorübergehende Seelenruhe, hat das auch schon einen Nutzen. Steigert sich geistige Klarheit, kann das auch jedem helfen. Man erwirbt möglicherweise die Fähigkeit, in Stresssituationen ruhig zu bleiben oder sich schnell zu beruhigen.

Stellt sich durch Meditation Sorglosigkeit und Zufriedenheit ein, ist einem sicher geholfen und ein wichtiges buddhistisches Ziel ist auch erreicht, allerdings nicht das Letzte.

Kommt es zu psychologischen Erkenntnissen, ist einem damit auch gedient.

Es kann sich auch mal ein starkes Glücksgefühl einstellen. Auch das ist ein Ziel. Ein durch Meditation erreichtes Glücksgefühl wird von manchen auch Bliss genannt. Worum es jedoch eigentlich gehen soll, verbirgt sich noch dahinter.

Wenn sich nur einer der oben genannten Effekte eingestellt hat, ist dem Praktizierenden damit bereits gedient.

Mit Übung und günstigen Umständen kann man es so weit bringen, und bis dahin dauert es selten Jahre, wenn man regelmäßig übt, dass man sich anscheinend völlig außerhalb der Realität befindet, ja man mag das Gefühl haben, außerhalb von Raum und Zeit zu sein. Die Wirklichkeit kann dann als so etwas wie eine Simulation erscheinen. In solchen Zuständen habe ich die unwahrscheinlichsten Verbesserungen meiner Lebenssituation bewirkt.

Die Matrixfilme sind wohl entweder durch solche Zustände inspiriert, oder durch Philosophien und Lehren, die durch solche Zustände inspiriert sind.

Genau solche Erfahrungen sprechen für den Glauben, dass diese Welt eine Art Simulation wie die Matrix in den Filmen ist – nicht mehr und nicht weniger – allein kontemplative Erfahrung und Ergebnisse dieser Erfahrung, keine in wissenschaftlichen Experimenten erlangten

Ergebnisse oder durch Mathematik abgeleiteten Thesen.

Wer nicht völlig weltfremd ist, kennt heute Computerspiele, die bereits einen hohen Grad an Naturalismus erreichen. Es ist keine Besonderheit mehr, dass mehrere Spieler gleichzeitig von verschiedenen Computern aus dasselbe Spiel zur gleichen Zeit spielen, verschiedene Figuren in einem Spiel spielen. Wenn sich das in Computernetzwerken realisieren lässt, ist es sehr wahrscheinlich, dass analog die Einwirkung vieler Selbste auf die weitaus komplexere Realität möglich ist. Da ich ein Mensch bin und bewusst bin, scheint es naheliegend anzunehmen, dass auch andere Menschen bewusst sein können.

Da der Verwirklichung meiner Interessen manchmal etwas im Weg steht, scheint die Erklärung plausibel, dass manche anderen Menschen konträre Interessen haben. Da ich meine Interessen bewusst verfolge und zusehen kann, wie andere Menschen zielgerichtet handeln, kann ich annehmen, dass auch sie das bewusst tun.

Welchen Grund habe ich wirklich anzunehmen, ich sei der einzige Spieler in der Simulation? Finde ich die Welt nicht eher vor, als sie zu erschaffen?

„Du erschaffst deine eigene Realität." ist zumindest ein Irrtum, vielleicht eine Lüge, schlimmstenfalls eine Falle. Nichts zwingt mich zu Einsamkeit.

Neo hat die Matrix nicht erschaffen. Der Seth von Jane Roberts berichtet, dass sich mehrere Selbste außerhalb der Realität über das Eintreten von Ereignissen einigen, oder es verhandeln.

Der Chaosmagier Phil Hine sagte mal: „I create bits of my reality."

Es sieht danach aus, dass die Wirklichkeit eine Simulation wie die Matrix ist, dennoch ist sie nicht dein Traum und du nicht ihr Gott.

Im Tibetischen Buddhismus gibt es Mantras für verschiedene Zwecke. Man soll, bestenfalls mit offenem, ansonsten leerem Geist, ein solches Mantra, eine einfache Abfolge von Worten wiederholen, zum Beispiel, um an Geld zu kommen, mehr Gesundheit zu erlangen oder eine Partnerin oder einen Partner zu finden. Das hat bei mir oft genug funktioniert. Oft genug ist das gewünschte Ergebnis eingetreten, nicht immer ganz perfekt, doch würde der Anhänger der bloßen Schulweisheit annehmen, dass es niemals eintritt.

Der westliche Okkultismus kennt ebenfalls allerlei Zauber- und Beschwörungsformeln und rituelle Handlungen. Bei deren Ausübung treten oft auch die unwahrscheinlichsten passenden Ereignisse ein.

In Computerspielen gibt es oft „Hacks" (ursprünglich „Cheats"). Man kann ein bestimmtes Wort oder eine Zahlen- und Buchstabenkombination eingeben, durch die die Spielfigur irgendeinen Bonus erhält, Unverletzbarkeit oder unendlich viel Munition.

Sind alle rituellen Praktiken nichts weiter als solche Hacks für die Wirklichkeit? Diese müssten mit den Naturgesetzen gar nichts weiter zu tun haben. Ein Cheat hat auch in einem Computerspiel nichts weiter mit sonstigen Spielregeln zu tun, er ist einfach eine Extrafunktion.

Solche Vorstellungen wurden in den Medien oft mit Amokläufern in Verbindung gebracht. Nur sind Amokläufer ja wohl eindeutig die größten Loser des Matrixspiels. In der Matrix werden Amokläufer entweder erschossen oder eingesperrt – jedes Mal! Wer solche Unkenntnis der Spielregeln beweist, ist kein Matrix-Hacker. Ich vermute übrigens, dass noch ganz andere psychosoziale Faktoren Amokläufe auslösen und Bluttaten nicht so simpel zu erklären sind. Selbst Voll-Solipsisten, denen ich begegnet bin, waren meist gutmütige und pazifistische Personen. Da hat ein

Amokläufer eine Matrix-DVD. Nur, wer hat die nicht? Wenn ein Amokläufer einen Film geil findet, den fast jeder geil findet, wird das wohl kaum der ausschlaggebende Grund für seinen Amoklauf sein.

Wozu ich anregen möchte, ist sich durch Matrix-Hacks ein zufriedenes Leben zu schaffen. Dafür ist es nicht nötig, irgendwelchen Schaden anzurichten. Wer sich antisozial verhält, hat mir schon immer völliges Unverständnis von Magie bewiesen. Wer wirklich die Matrix hacken kann, hat es gar nicht nötig, irgendwen schlecht zu behandeln.

Ein moralischer Hack

Mein Lieblingsphilosoph ist Jean-Paul Sartre. Um in Begriffen dieses Buches hier zu sprechen, hat er in seinem Hauptwerk „Das Sein und das Nichts" Verhältnisse des Hackers zur Matrix und matriximmanente Strukturen so genau und richtig beschrieben, wie es menschliche Sprache eben erlaubt. Vielleicht ist sein Begriff des Blicks noch eben metaphorisch aufzufassen. Es spricht jedoch vieles dafür, dass die damit gemeinte Aussage, jeder habe eine Wirkung auf die Matrix und potenziell, so er sich dessen denn nicht enthält, eine Wirkung auf andere Personen in der Matrix, zutrifft.

Philosophische Anfänger können leicht dem Solipsismus anheimfallen. Zweifel oder Meditation verleiten zu dem Eindruck, die Welt sei ein Traum, die Mitmenschen gar Automaten. Menschen, die einem Grund geben, sie für Automaten zu halten, können einem leidtun. Ja, dem naiven Philosophen scheint nichts gegen seinen Solipsismus zu sprechen. Munter hält er sich für einen träumenden Gott, der seinen eigenen Traum erschafft. Wäre er ehrlich zu sich selbst, könnte er aber kaum eine Ursache des Traums ausmachen. Soll ich den Urknall und alles danach erschaffen haben, um wesentlich später einmal schlappe 75 Jahre als winziger Mensch in einem Riesenuniversum zu leben? Und das wie die meisten Solipsisten fast ausschließlich vor dem Fernseher mit fettigen Chips ausgestattet?

Wirkt nicht das Samkhya viel plausibler, wenn es mir deutlich sagt, dass ich mich mit einem wirklichen Körper identifiziere, und Sartre, wenn er mir zeigt, dass ich auf den Gang einer Welt, die vor mir schon da war, einwirken kann?

Ein Solipsist bezeugt die Welt halbtot, und nimmt ihre Ecken und Kanten nicht wahr, rationalisiert die Frustration, wenn er die Ecken und Kanten zu spüren bekommt. Der Solipsist möchte etwas und wartet darauf, ohne zu verstehen, warum er es nicht bekommt.

Die Matrix hat Regeln. In der Matrix gibt es Umstände. Manches ist in der Matrix nur in begrenzter Anzahl vorhanden und wird auch von anderen gewollt. Das Eintreten verschiedener Ereignisse ist in der Matrix unterschiedlich wahrscheinlich. Manches ist zu unwahrscheinlich. Manche anderen Menschen in der Matrix wollen vielleicht verhindern, was ich tun möchte. So verhält es sich. So funktioniert unsere Welt, selbst wenn sie die Matrix sein sollte.

Für die Moral ist interessant, was Sartre über zwischenmenschliche Verhältnisse sagt. Liest man aufmerksam, stellt man fest, dass Sartre acht verschiedene Haltungen unterscheidet, die man gegenüber Mitmenschen einnehmen kann:

Sprache: Ich versuche anderen anzudeuten, dass ich bewusst bin und einen freien Willen habe.

Gleichgültigkeit: Man koexistiert einfach, Konflikte vermeidend, tolerant.

Liebe: Man versucht, die Freiheit und Bewusstheit eines Mitmenschen zu vergrößern, und erwartet, dass er im Gegenzug die eigene Freiheit und Bewusstheit vergrößert.

Begierde: Man versucht, sich den Körper eines anderen Menschen zu unterwerfen und er tut dasselbe im Gegenzug mit dem eigenen.

Masochismus: Ich vermindere die eigene Freiheit und Bewusstheit zugunsten der Freiheit eines Mitmenschen.

Sadismus: Ich glaube nicht einmal an Freiheit und Bewusstheit meiner

Mitmenschen, und behandle Mitmenschen nur als Objekte und Mittel für meine Zwecke.

Hass: Ich versuche mich von jemandem zu befreien, weil er meine Bewusstheit und Freiheit einschränkt.

Mitsein: Ich richte Bewusstheit und Freiheit, Aufmerksamkeit und Handeln zusammen mit anderen Menschen auf ein und dasselbe Ziel aus.

Sartre sagt abschließend ganz deutlich, *dass prinzipiell jedem jede dieser Haltungen möglich ist, und sie nicht in einer bestimmten Reihenfolge wechseln müssen.*
Diese Betrachtungen sind keine Typenlehre.
Mir ist im Übrigen nicht nur unverständlich, sondern auch unerträglich, wie gesellschaftlich akzeptiert die Haltung des Sadismus gegenwärtig in unserer Gesellschaft ist. Zu oft wird ihr mit Masochismus begegnet. Zu selten wird von der Möglichkeit des Hasses dagegen Gebrauch gemacht.
Die Sadisten sind im Übrigen die einzigen, die über die Wahrheit nicht ganz im Bilde sind. Sie wissen ja gar nichts von Freiheit

und Bewusstsein der Anderen. Von falschen Voraussetzungen auszugehen kann Nachteile haben. Die Mitmenschen des Sadisten werden zu leiden haben. Selbst, wenn er keine körperliche Gewalt anwendet, verursacht er neben direkter Frustration (auch über seine Dummheit, sage ich ganz offen) durch Entfremdung seiner Mitmenschen psychologische und psychosomatische Probleme und Krankheiten. Das ist empirisch belegbar. Es bietet sich an, ihn zu hassen. Seinen freiheitsliebenden Mitmenschen lässt er nur die Wahl: Kampf oder Flucht. Daraus kann ihm direkter Schaden erwachsen. Ergreifen sie alle die Flucht, weil er seine Haltung nie ändert, endet er einsam, was wiederum (ebenfalls empirisch belegbar) sein Immunsystem schwächt und ihm damit zum Schaden gereichen wird.

Was können wir nun für Ethik und Moral aus Sartres Analyse ableiten? Gehen wir einmal davon aus, dass jeder Mensch Egoist ist. Gehen wir in gewissem Sinn vom Lustprinzip aus. Nehmen wir an, jeder Mensch strebt letztlich nach dem für ihn Angenehmen, versucht Unangenehmes zu vermeiden, zu verringern, sich davon zu befreien.

Es scheint eigentlich ganz einfach, ohne Rückgriff auf irgendeinen Gott, säkulare

Nächsten- und Selbstliebe im wörtlichen Sinn zu betreiben. Damit mich niemand hasst, damit sich das Risiko, dass mir geschadet wird, verringert, erkenne ich Freiheit und Bewusstheit meiner Mitmenschen an, lasse sie nach ihrem Nutzen streben und schütze mich stets davor, dass mir daraus Schaden erwächst. So steht mir kaum etwas im Wege dabei, nach meinem eigenen Nutzen zu streben. Zudem sind so gute Voraussetzungen gegeben, um auch im Mitsein am Nutzen mehrerer teilzuhaben.

Wer stets seinen eigenen Nutzen im Widerspruch zum Nutzen anderer sieht, ist für eine schier unendliche Fülle von Möglichkeiten blind.

Ethischer Codex der Matrix-Hacker

Du bist nicht allein in der Matrix.

Du bist nicht der Gott der Matrix.

Jeder Spieler verdient Respekt.

Schränke nie die Spielmöglichkeiten eines Spielers ein, es sei denn, er schränkt die Spielmöglichkeiten von Mitspielern oder dir ein oder verursacht Leid in der Matrix.

Verursache möglichst kein Leid in der Matrix. Gebe Nutzen vor Schaden immer den Vorzug für andere und dich selbst.

Bedenke immer möglichst viele der möglichen Konsequenzen deiner Handlungen, so gut, wie es dir überhaupt möglich ist. Das ist gerade gut genug. Es kann das Leid anderer ebenso lindern wie dein eigenes, wenn es vorhanden ist.

Missachtest du diese Regeln, gibt es in jedem Fall eine oder mehrere höhere Instanzen, die dir dein Verhalten früher oder später vergelten können. Vergeltung kann sogar von Seiten kommen, die du für niedere Instanzen hältst.

Sei so geschickt und gib niemandem Grund
für Rache.

Der Beobachtereffekt als Automatismus

Eine Botschaft Jean-Paul Sartres, die bei mir ankam und der ich zustimme, ist, *jeder Mensch sei in seinem Verhältnis zur Welt auf die Welt wirksam.* Sartres Vorläufer Martin Heidegger hat diese Tatsache noch wesentlich unschärfer aufgefasst. Heideggers Einzelner hat kein so deutlich umrissenes Verständnis der Existenz seiner Mitmenschen wie Sartre es erläutert. Die Existenz Heideggers ist immer noch nicht ganz wach.

Wir können hier etwas über Strukturen der Matrix erlernen, genauer gesagt über Regeln unserer Existenz in der Matrix. Über diesen Themenbereich werde ich im Folgenden noch viel berichten. Vieles davon wird Lesern durch die Schulbildung nicht bekannt sein, sondern baut erst noch darauf auf. Es handelt sich teilweise um empirisch komplett gesicherte Tatsachen, die gar nicht mal jedem bekannt sind.

Wenn ein Philosoph von der Wirksamkeit des Menschen auf die Wirklichkeit spricht, so mag das nicht jeden sofort überzeugen. Aber gibt es Ergebnisse der wissenschaftlichen Forschung, die diese These untermauern? Die gibt es, und gerade die nun zuerst geschilderten

Tatsachen weisen verblüffende Übereinstimmungen zu Sartres Philosophie und seinen existenzphilosophischen Vorläufern bis zurück zu Sören Kierkegaard auf, dem der betreffende Bereich der Physik noch völlig unbekannt gewesen sein muss.

Licht kommt in Quanten – den Lichtphotonen vor, die entweder als Welle oder als Partikel auftreten. Die Wellenfunktion eines Photons ist nichts anderes als eine Möglichkeit der Position desselben Photons in Partikelform mit einer bestimmten Wahrscheinlichkeit. Eine genaue Position hat das Photon aber als Welle nicht.

Im Doppelspaltexperiment wurde bewiesen, dass ein Photon immer Partikelform annimmt, das heißt eine eindeutige Position erhält und sich wie Materie verhält, sobald es beobachtet wird. Durch Beobachtung wird eine Möglichkeit zu einer Wirklichkeit, und allgemeiner aufgefasst ist dieses Phänomen bereits vor Entstehung der Quantenphysik im philosophischen Werk von Sören Kierkegaard beschrieben, der den ersten Anstoß für den ganzen Kanon des Existenzialismus gab (Kierkegaard lebte und schrieb schon vor Nietzsche).

Mir ist nicht bekannt, was laut der Physik über die letztendliche Position des entstehenden Partikels entscheidet. Nehmen wir mal nicht zu früh an, es sei Glaube oder Wille des Beobachters. Was wir jetzt wissen, ist einzig und allein, dass die Beobachtung aus der Wahrscheinlichkeit den Partikel macht, nicht ob sie bestimmt, wo genau der Partikel sich dann befindet.

Der Kollaps der Wellenfunktion bringt Positionswahrscheinlichkeitsquanten dazu Partikelform anzunehmen, was nur bedeutet, dass die jeweilige Energiemenge beginnt *strukturiert zu kreisen*. Die Beobachtung zwingt die Energie, *eine sich wiederholende Bewegung auszuführen*.

Wir fluchen und bannen Energie in eine statische Bewegung und können nicht anders.

Eine Wirksamkeit und Wirkungsmacht des Menschen ist so bewiesen, denn es lässt sich nicht leugnen, dass Menschen beobachten. Über Entscheidungsfreiheit ist damit nicht viel gesagt.

Wenn ich jetzt aufstehe und meine Kaffeetasse in die Küche trage, nutze ich Energie, um eine Positionsveränderung vorzunehmen. Dazu bin ich allemal in der Lage. Dass ich handeln und auf ähnliche

Weise noch viel Besseres bewirken kann,
liegt für mich auf der Hand.

Der Beobachtereffekt jedoch geschieht
immer *automatisch*, in den Begriffen
dieses Buches eine Programmroutine
unserer Existenz in der Matrix, die uns
nichts anderes als relativ stabile, eindeutig
positionierte Realität in jedem Augenblick
sinnlich wahrnehmen lässt.

Psychokineseforschung

Das Wort „Parapsychologie" steht auf zu vielen Büchern. Unter diesem Stichwort wurde und wird leider zu oft über alles geschrieben, was jemand glauben möchte, ohne es zu wissen.

Die wissenschaftliche Beschäftigung mit den Phänomenen Psychokinese und den verschiedenen Erscheinungsformen außersinnlicher Wahrnehmung rühmt sich dagegen zu Recht wissenschaftliche Parapsychologie zu heißen. Die angesprochenen Phänomene scheint längst nicht jeder Mensch erlebt zu haben, so oft wie ihre Existenz geleugnet wird. Gleichzeitig wird ihre Existenz seltsamerweise von manchen Personen aggressiv abgelehnt, vermutlich aus psychologischen oder ideologischen Gründen, selbst von Personen, die die Ergebnisse relevanter Experimente kennen. Ich halte solches Verhalten nicht für wissenschaftlich, sondern für fortschrittsfeindlich.

Zuerst wurde einmal erforscht, ob es die genannten Phänomene wirklich gibt. An Theorien, die die Phänomene erklären sollen, wird noch gearbeitet. Dieser Prozess ist momentan noch nicht abgeschlossen.

Die Existenz der Phänomene nicht zu glauben, weil sie noch nicht erklärt sind, ist einfach nur gestört. So ängstlich ist kein Kleinkind, das nicht weiß, warum sich der rote Ball bewegt, deshalb nicht an den roten Ball und seine Bewegung zu glauben.

Dass Naturwissenschaft, Philosophie und Psychologie die Erkenntnisse der Parapsychologie aufnehmen, ist längst überfällig. Immer noch weiß die Psychologie nichts mit Menschen anzufangen, deren stärkste Prägungen paranormale Erfahrungen sind. Würden sich endlich Denker von der Kragenweite eines C.G.Jung oder Jean-Paul Sartre um die Einordnung der Phänomene kümmern, könnte der Fortschritt endlich weitergehen.

Die wohl umfassendste Sammlung von Forschungsergebnissen der wissenschaftlichen Parapsychologie enthält das Buch „The Conscious Universe" von Dean Radin. Wer in Sachen wissenschaftlicher Aufklärung am Ball bleiben möchte, muss dieses Buch lesen.

Bezüglich Psychokinese spielen insbesondere Experimente mit Zufallsgeneratoren eine Rolle. Experimentiert wurde mit Zufallsgeneratoren, die mit gleicher Wahrscheinlichkeit die Zahlen 1 und 0 in regelmäßiger Abfolge produzieren. Geht man davon aus, es gibt keine Psychokinese, kein Fremdeinfluss auf den Zufallsgenerator findet statt, muss der Zufallsgenerator die Zahlen 1 und 0 genau gleich oft hervorbringen, wenn man ihn lange genug laufen lässt. Das ist auch der Fall.

Wenn sich nun aber Versuchspersonen eine zeitlang bemühen, rein mental möglichst nur eines der beiden Ergebnisse hervorzubringen, erzeugt der Zufallsgenerator diese Zahl auch öfter als die andere.

Solche Experimente wurden jahrzehntelang durchgeführt und alle Ergebnisse zusammengetragen und abgeglichen. Es bleibt die größere Häufigkeit der gewünschten Zahlen. Somit ist das Ergebnis nur mit extrem verzerrter Argumentationsweise noch abzuleugnen.

Ontologisch spricht das nicht für einen Solipsismus, sonst müsste wohl die gewünschte Zahl immer hervorgebracht werden und nicht nur häufiger als die andere. Ein Einfluss des Menschen auf die Wirklichkeit ist so jedoch bewiesen. Die Ergebnisse decken sich mit der Existenzphilosophie, in der weitere Einflussfaktoren auf Ereignisse angenommen werden als der eigene Wille. Zudem zeigt sich, dass der menschliche

Wille Einfluss auf mehr hat als das nicht-vegetative Nervensystem. Diese Erkenntnisse mussten hier deutlich festgehalten werden, weil die allgemeine Einsichtssträubung in diesem Punkt nicht mehr auszuhalten ist.

Ebenfalls interessant sind die Forschungen bezüglich Effekten von Aufmerksamkeit von Gruppen. Bei großen Medienereignissen, etwa Sportendspielen oder der Oscarverleihung, bei denen anzunehmen war, dass die Aufmerksamkeit sehr vieler Menschen zu gleicher Zeit auf dasselbe gerichtet sei, wurden Zufallsgeneratoren in Betrieb genommen. Ergebnis war nun wieder, dass sich eine der beiden Zahlen besonders oft wiederholte, und keine gleiche Verteilung der beiden Zahlen mehr vorlag. *Bloße Aufmerksamkeit erzeugt mehr Wiederholung als wahrscheinlich.* Das ist der Schluss daraus. Zusammengenommen mit oben erwähnten Schlüssen aus der Quantenphysik, können wir daraus die Hypothese ableiten: *Bewusstsein von etwas hat eine starke Tendenz reale statische Wiederholung zu erzeugen.* Beim Kollaps der Wellenfunktion ist dieser Effekt noch absolut, bei der Wirkung auf Zufallsgeneratoren nur noch relativ aber signifikant.

Dies wären weitere Strukturen unserer Existenz in der Matrix, die sich modallogisch formulieren ließen.

Ein paar Worte über Jane Roberts, Seth, und deren Bücher

1963 fiel die Dichterin und Science-Fiction-Autorin Jane Roberts in ihrer Küche sitzend in einen Trancezustand. Als sie wieder erwachte, lag vor ihr auf dem Tisch ein Manuskript voller metaphysischer Aussagen in ihrer eigenen Handschrift.
Wenig später begannen sie und ihr Lebensgefährte mit dem Ouija-Brett zu experimentieren und erhielten wieder Aussagen über Metaphysik. Und schon bald begann Jane Roberts regelmäßig im Trancezustand für eine angeblich unkörperliche Person namens Seth zu sprechen und diktierte so bis an ihr Lebensende zahlreiche Bücher. Diese Bücher wurden in viele Sprachen übersetzt uns sind immer noch im Buchhandel erhältlich. Viele Leser sind begeistert.
Was soll man davon halten? Jane Roberts kann man als Surrealistin bezeichnen. Die Inhalte ihrer Bücher sind dem Themenbereich Metaphysik zuzuordnen. Peter Sloterdijk hat ja vor kurzem vorgeschlagen, das Wort Metaphysik komplett durch das Wort Surrealismus zu ersetzen. Würde man sich darauf einigen, wäre Jane Roberts plötzlich auf eine Stufe

mit Platon, Aristoteles, Schopenhauer und anderen Philosophen gehoben.

Ich finde die Sethbücher beeindruckend, und nagelt man andere Metaphysiker und auch die Weltreligionen auf ihre Aussagen fest, so bleibt auch das Niveau des Seth-Materials dahinter kaum zurück. Viele Aussagen darin hat es auch in der anerkannten Philosophie- und Religionsgeschichte schon gegeben – eigentlich so ziemlich alle. Die Sethbücher konfrontieren uns noch einmal geballt mit einer Menge von Aussagen, die geeignet sind, ein metaphysisches Bedürfnis zu befriedigen, Aussagen, über deren Wahrheitsgehalt wir offen gestanden so leicht nicht entscheiden können, Hypothesen über Bereiche, in denen wir nichts wissen. Die Entstehungsgeschichten einiger Weltreligionen sind noch dubioser als die der Sethbücher. Auch wenn wir nicht an die Inhalte glauben, so können wir dennoch zumindest das Seth-Material so tolerieren, wie wir alle Weltreligionen tolerieren.

Mir hat sich in meiner Lebenserfahrung nicht jede Aussage in den Sethbüchern bestätigt. Erste intensive Meditationserfahrungen mit konkreten Ergebnissen standen jedoch im Zusammenhang mit meiner Lektüre dieser

Bücher. Manche Aussagen daraus glaube ich nicht mehr. Ich wurde vom Gegenteil überzeugt. Manches aus den Büchern hat zu magischem Experimentieren inspiriert, das Erfolge gezeitigt hat.

Ich finde jedoch den Vergleich von Aussagen des Sethmaterials mit wissenschaftlichen Erkenntnissen höchst interessant. In manchen Punkten decken sie sich. Auf die Ähnlichkeit mancher Aussagen mit Quantenphysik und insbesondere der Vielweltentheorie werde ich jetzt nicht näher eingehen.

Interessant sind Seths Aussagen zum Glauben. Was wir glauben, bestimmt, was Realität ist, behauptet Seth. Glaube erschafft Realität, behauptet Seth. Widersprüchliche Glaubenssätze zu haben, führt zu konkreten Problemen, so Seth. Mich interessiert, was wir denn nun eigentlich wirklich über das menschliche Glauben wissen. Wie weit behält Seth Recht?

Glaubenspsychologie

Es gab ein psychologisches Experiment, in dem zwei Gruppen von Probanden einen Intelligenztest machten. Der einen Gruppe wurde vorher gesagt, dass sie dumm seien, der anderen nichts dergleichen. Die Gruppe, der das an den Kopf geworfen worden war, erzielte deutlich schlechtere Ergebnisse im Test.

Eine ablenkende Bemerkung: Man könnte sagen, das Versuchsergebnis sei Zufall. Der Versuch ist jedoch wissenschaftlich anerkannt. Man könnte das ebenso für Zufall halten wie Manche es für Zufall halten, wenn etwas eintritt, das sich jemand gewünscht hat, selbst wenn es ein sehr unwahrscheinliches Ereignis ist. Leute die da von Zufall sprechen, sind offenbar weniger wissenschaftlich, als ihnen lieb ist.

Zurück zu dem Versuch. Ich denke, wir können aus dem Experiment bereits schließen, *dass unser Glaube über eigene Fähigkeiten beeinflusst, was wir schaffen und was nicht.* Das ist eine erste, gesicherte glaubenspsychologische Aussage. Das heißt nicht, dass wir alles schaffen können, was wir glauben. Es heißt nicht, dass unser Glaube alle Realität erzeugt. Es heißt jedoch, dass wir nicht oder nur schwer schaffen, was wir uns nicht zutrauen. Daraus folgt, dass eine Handlung uns mit gewisser Wahrscheinlichkeit leichter fällt, wenn wir sie uns zutrauen.

Ganz hemmungslos wende ich mich nun wieder der Parapsychologie zu. In parapsychologischen Experimenten wurde der sogenannte Sheep-Goat-Effekt entdeckt. Es wurde festgestellt, dass Probanden, die an paranormale Phänomene glauben, bessere Ergebnisse in parapsychologischen Experimenten erzielen. Daraus lässt sich auch ziemlich sicher die glaubenspsychologische These ableiten, *dass das für möglich Halten paranormaler Phänomene unsere eigene Fähigkeit, paranormale Phänomene zu erzeugen, begünstigt.* Für Matrix-Hacks heißt das: Wenn ich nicht an die Möglichkeit glaube, die Matrix zu hacken, dürfte es schwieriger sein sie zu hacken. Daraus folgt, dass ich es mir leichter mache, die Matrix zu hacken, wenn ich daran glaube, dass das möglich ist.

Geglaubte modallogische Aussagen können in jedem Fall beeinflussen, wie gut wir etwas können. Soviel wissen wir jetzt sicher über unseren Glauben.

Das Experiment, das in dem Buch „Eine Gruppe erzeugt Philip" beschrieben wird, ist für diese Thematik auch äußerst interessant. Darauf soll an dieser Stelle jedoch nicht weiter eingegangen werden.

Ich möchte an dieser Stelle einen Teil der Theorie von C.G.Jung einführen, die mir in diesem Zusammenhang wichtig erscheint. Jung unterscheidet vier Funktionen der Erkenntnis:

Sinneswahrnehmung – die Wahrnehmung der Wirklichkeit durch die körperlichen Sinne

Denken – diese Funktion umfasst Logik, die Fähigkeit zu Schlussfolgerungen zu gelangen

Intuition – die Wahrnehmung von Möglichkeiten (Diese kann übrigens sehr klar sein, wenn diese Funktion voll ausgebildet ist. Das soll sie jedoch nur bei einer Minderheit der Bevölkerung sein, was nahelegt, dass viele Leser sich eine voll funktionstüchtige Intuition gar nicht richtig vorstellen können.)

Fühlen – soll sich letztlich reduzieren auf die Wahrnehmung von Angenehm und Unangenehm

Möglicherweise sind die Erkenntnisfunktionen nicht komplett, möglicherweise müssen ihnen allerlei Kompetenzen hinzugefügt werden.

Es liegt wohl auf der Hand, dass die Erkenntnisfunktionen unseren jeweiligen Glauben beeinflussen. Was ich durch diese Funktionen wahrnehme, wird Gegenstand meines Glaubens, wären da nicht noch andere Faktoren. Auch der freie Wille scheint einen Einfluss auf den Glauben zu haben. Ich kann mich anscheinend bewusst entscheiden, etwas zu glauben oder nicht.

Vielleicht fragt man sich, was das noch mit der Matrix zu tun habe. Nun, sollte diese Wirklichkeit die Matrix sein, so sind auch dies Programmroutinen der Matrix, Programmroutinen unserer eigenen Existenz in der Matrix.

Das Fühlen beeinflusst meinen Glauben über Gut und Schlecht, an dem ich wahrscheinlich meine Handlungen ausrichte. Ich beurteile auch fühlend Sinneswahrnehmungen.

Die Intuition führt zu einem Glauben darüber, was möglich ist. Modallogik und Wahrscheinlichkeits-rechnung verbinden Denken und Intuition. Ich kann auch Möglichkeiten für besser oder schlechter halten, wobei eine Verbindung der Intuition zum Fühlen gegeben ist.

Das Denken führt mich zu Schlüssen darüber, was wahr und falsch ist, ableitend von Informationen, die ich für wahr haltend glaube.

Die Sinneswahrnehmung führt zu einem Glauben über das, was real ist, und auf diesen Glauben lässt sich Denken anwenden.

Fast unnötig zu erwähnen, dass einzelne oder mehrere Erkenntnisfunktionen bei verschiedenen Personen auf verschiedene Art gestört sein können.

Gesichert scheint mir, dass wir unsere Handlungen, unsere Entscheidungen am über diese Erkenntnisfunktionen und auch auf andere Art gewonnenen Glauben ausrichten. Diese Aussage verbirgt sich im Übrigen auch in anderer Form ausgedrückt in „Das Sein und das Nichts" von Jean-Paul Sartre, dessen Werk sich in diesen Punkten gut mit dem C.G.Jungs in Einklang bringen lässt, der wiederum dem Werk Freuds eine relative Gültigkeit im Verhältnis zum eigenen Werk zusprach, wobei man dann wohl Thanatos und Eros als Archetypen neben anderen ansehen müsste.

Auf jeden Fall stellt sich Glauben sehr deutlich als sehr grundlegende Tätigkeit des Bewusstseins dar. Beispielsweise bildet Logik nicht die Tätigkeit des Glaubens vollständig ab, dafür aber Regeln des Glaubens.

Erinnern wir uns an die Idee von Selbst und Ego, das Samkhya und die Meditationserfahrungen. Unsere Identifikation mit dem Ego, dem Alltagsbewusstsein, dem Körper stellt sich uns bei dieser Sichtweise ganz eindeutig als Akt des Glaubens dar, mit der dann aber Umstände wie die Schwerkraft, die auf unseren Körper einwirkt, automatisch mitgegeben sind. Gerade dieser Umstand und auch andere fallen durch ihre Regelhaftigkeit, ihre Programmroutinenartigkeit auf.

Ich glaube ich zu sein, was sich durch Wahrnehmung bestätigt, wohl ein sehr überzeugender Grund, diesen Glauben aufrechtzuerhalten und nicht den basalen Zweifel tiefster Meditation zu vollziehen. Wer übrigens die Meditation nicht liebt, liebt auch nicht die Weisheit.

Wenn nun tatsächlich Glaube unsere Handlungen beeinflusst, was mir zu offensichtlich scheint, als dass ich es begründen wollte, so ist alles von Menschen Gemachte und damit alle Kultur von Glaubensinhalten beeinflusst. So konnte auch Religion immer wieder über Kultur bestimmen.

Von der Mementheorie möchte ich mich übrigens abgrenzen. Dass die Memetiker nun zur Leugnung von Bewusstsein und freiem Willen übergegangen sind, zeugt in meinen Augen von ihrer unklaren Wahrnehmung, die nicht mehr imstande ist, zwischen Geglaubtem und Glaubendem, zwischen Wollen und Glauben zu unterscheiden. Sprechen wir von Glaubenssätzen oder Glaubensinhalten ist zusätzlich das Kunstwort Mem überflüssig, das allzu leicht zu Verwischungen der Wahrnehmung verleiten kann. „Conscious Memetics" würde ich mir ja gerade noch gefallen lassen, aber nicht das aktuelle bewusstlose Gequassel.

Glaubenspsychologisch interessant ist auch das Werk des Künstlers und Freud-Rezipienten Austin Osman Spare, insbesondere sein „Buch der ekstatischen Freude". Manche Leser schwören Stein und Bein, dass die darin enthaltenen Psychotechniken wirksam sind. Angesichts der Tatsache, dass einige der Spare-Rezipienten seit Jahrzehnten nicht von dieser Überzeugung abgewichen sind und jeder Versuch einer Gegenbehauptung von ihrer Gelassenheit abprallt, ein wohl ernstzunehmendes Phänomen. Ich überlasse es für den Moment meinen Lesern, sich einmal mit dem etwas kryptischen Werk Spares auseinanderzusetzen. Für Zwecke des

Matrix-Hackers in jedem Fall eine lohnenswerte Hausaufgabe. Spare war einer der Magier, der den Mut hatte Philosoph zu sein, was gerade noch etwas häufiger vorkommt als der umgekehrte Fall.

Ich denke, es ist deutlich geworden, wie weit ich Seth aus meiner Perspektive Recht geben kann. Ich denke, eine nüchterne Betrachtung des menschlichen Glaubens könnte der Psychologie wichtige Anstöße geben. Ich schäme mich nicht, vom Werk von Jane Roberts beeindruckt zu sein, wie Descartes von der Rosenkreuzerlegende beeindruckt war.

Leben als Drama

Die letzten Kapitel waren vielleicht die wissenschaftlichsten des Buches. Es wird nun wieder etwas „spekulativer", wenn auch wieder nicht ganz an aller Empirie vorbeischießend. Wir wollen uns schließlich die Freiheit nehmen uns als Matrix-Hacker zu behaupten, oder nicht?

Irgendwann in meinem Leben hatte ich den Eindruck, dass sich die gleichen, lästigen Muster in meiner Erfahrung immer wiederholen. Wären das jetzt eigene Verhaltensmuster, wäre das ja ganz einfach zu erklären. Ich stellte nur fest, dass immer wieder ähnliche Konstellationen von außen auf mich zukamen, deren Wiederholung eigentlich verdammt unwahrscheinlich war. Das hat mich über die Idee des Karma zur bislang ernsthaftesten Beschäftigung mit Tibetischem Buddhismus gebracht und diese dann wieder zur Idee der Matrix, die sich in Meditationszuständen bestätigen kann.

Das Buch „Gespräche mit Seth" von Jane Roberts enthält Passagen, in denen das Leben als Drama dargestellt, die Welt mit einer Bühne verglichen wird. Regisseure des Dramas seien wir als unser höheres Selbst, Schauspieler darin als unser

Alltagsbewusstsein. Das ist schon im Text ganz eindeutig ein Gleichnis und sollte deshalb auch ganz deutlich wie eines aufgefasst werden.

Ich schlage vor, dass der Leser sich einmal fragt, ob sein Leben eher mit einem Spiel, einem Film, einer Simulation oder einem Drama verglichen werden kann. Ich denke, verschiedene Leser werden zu unterschiedlichen Ansichten gelangen. Das Ergebnis dieser Überlegung kann schon helfen, mit dem jeweils eigenen Leben richtiger umzugehen.

Man sieht vielleicht, dass Seth selbst die Weltanschauung präsentiert, die erklärt, warum es ihn geben und er sich uns mitteilen kann. Letztlich bleibt das eine Glaubensfrage.

Jedenfalls baut Seth auf der Darstellung des Lebens als Drama später auf, als er die Idee der Blaupausen einführt. Er behauptet, bereits vor der Geburt mache das Selbst einen Lebensplan für seine Inkarnation, den Seth Blaupause nennt, dieser biete jedoch normalerweise noch Möglichkeiten für freie Entscheidungen. Wir haben hier wieder eine mögliche Programmroutine der Matrix.

Beziehe ich die Idee der Blaupause mal auf mein bisheriges Leben, scheint es mir, dass es für manche Zeiten kaum eine Blaupause gab. Das wäre also auch für verschiedene Menschen für unterschiedlich lange Zeiten möglich.

Das Konzept der Blaupausen erklärt, warum manche Lebenserfahrungen so sehr bestimmten Mustern folgend erscheinen.

Und über Muster der Lebenserfahrung gibt es unglaublich viele Behauptungen: alles folge dem I Ging, alles der Astrologie, den hermetischen Korrespondenzen, dem Karma, Jungs Individuationsweg, der Hegelschen Dialektik etc.

Da manche Menschen nun diese Lehren völlig ignorieren, vielleicht gar behaupten, sie träfen gar nicht zu, andere jedoch Stein und Bein schwören, alles in ihrem Leben spiele sich nach diesen Mustern ab, könnte es so sein, dass diese Mustersysteme nur als Versatzstücke von Blaupausen bei manchen Menschen vorkommen, bei anderen nicht. Allerdings wäre damit jedes Mal die Anwendbarkeit bestimmter Techniken gegeben, eben das wären relative Matrix-Hacks, wie ich sie anfangs erwähnte.

Kommunikation mit dem Selbst

Der Glaube ein höheres Selbst außerhalb dieser Wirklichkeit zu haben ist für mich religiös in mehrfachem Sinn. Ich kann ihn einfach empfehlen, er ist durchweg nutzbringend.

Ich habe Lebensphasen durchgemacht, in denen nichts darauf hindeutete, dass ich ein höheres Selbst habe. Ich erkläre mir das durch die Hypothese, dass das höhere Selbst sich vor dem Ego verbergen kann. Möglicherweise erlaubt das höhere Selbst es einem nicht mal immer, meditativ zu ihm Zuflucht zu nehmen. Meist wird es seine eigenen, umfassenderen Wahrnehmungen, sein Wissen zumindest zu großen Teilen vor dem Ego verbergen, selbst wenn in Meditation die Kenntnis des höheren Selbstes gelingt.

In Begriffen des Matrixparadigmas befindet sich das Selbst außerhalb der Matrix an einer Steuerkonsole, von der aus Realität gestaltet und verändert werden kann, noch einmal deutlich gesagt: eine Realität, die älter ist als das eigene Ego und Voraussetzungen für dieses mitbringt – und damit eben auch real, oder noch besser wirklich ist. Die buddhistische Psychologie kennt gar den Begriff des

Speicherbewusstseins, der mir offen gesagt sehr nach EDV klingt.

Vorstellungen von der Welt als Computersimulation, der Absprache mit anderen transzendenten Computerspielern und von technologischen Steuereinheiten gingen tatsächlich sehr oft gewünschten Verbesserungen meiner realen Situation voraus.

Strenggenommen beweist das nicht die ontologische Wahrheit des Matrixparadigmas. Vielleicht sagt es etwas über nützliche Archetypen. Doch eben dieses Nützliche, Heilsame ist das Weise an der Vorstellung der Matrix. Dieser Charakter des Paradigmas macht es unnötig, es zu verteidigen, einzig und allein sich selbst in das Paradigma zu engagieren, kann ihm Sinn geben.

Man kann nun meditativ unterschiedlich weit kommen in Relation zum höheren Selbst. Mir ist kein spirituell Praktizierender bekannt, bei dem sich Allmacht oder Allwissenheit eingestellt hätte. Es ist etwas weniger als das zu erreichen.

Was sich nun als bereits sehr nutzbringend erwiesen hat, ist Kommunikation mit dem Selbst. Man kann Gedanken an das Selbst richten, es um etwas bitten. Meines ist auch nicht beleidigt, wenn ich einen etwas raueren Umgangston anschlage.

Gibt es nun eine unbedenkliche Methode, umgekehrt Kommunikation des höheren Selbstes zu mir als meinem Ego anzuregen? Als ziemlich harmlos im besten Sinn und doch gleichzeitig sehr nützlich hat sich für mich automatisches Schreiben herausgestellt. Man schreibt einfach nicht absichtlich und bewusst, sondern lässt einfach das höhere Selbst schreiben. Die ersten Schritte in Meditation vom Anfang dieses Buches sind natürlich eine gute Voraussetzung. Ich betreibe das ab und zu, etwa alle drei bis vier Wochen, in Form von automatischem Tippen am Computer. Möglicherweise hört sich das schwierig an, es ist jedoch in Wirklichkeit die einfachste surrealistische oder spirituelle Methode, die ich kenne. Man enthält sich einfach der eigenen Absicht und lässt das wissendere Innere schreiben, die Tasten auf der Tastatur drücken.

Was herauskommt, kann ich für meine Leser nicht vorhersagen. Die Ergebnisse sind bei mir ganz anders, als was ein Freudianer wohl erwarten würde. Sehr oft erhalte ich Ankündigungen von zukünftigen Entwicklungen, die ich oft nach einer gewissen Zeit bewahrheitet fand, was niemals einen Nimbus des

Dramatischen hatte, sondern eher simpel und natürlich wirkte. Auch entstehen oft Erklärungen des Sinns von Erfahrungen.

Die Texte, die durch mein automatisches Schreiben entstehen, sind fast ausschließlich ganz privater Natur und nicht für Veröffentlichungen geeignet. Es gibt jedoch eine Aussage daraus, die mir zum weiteren Philosophieren Anlass gibt.

Die gemeinte Aussage war folgende:

„Der Buddhismus enthält nicht die ganze Wahrheit, aber was er sagt, ist in einem gewissen Rahmen wahr. Das sind kollektive Muster, die sehr Viele durchmachen."

Diese Aussage gab mir den Anstoß zu der Annahme, dass es typische Muster geben kann, die die Erfahrung vieler Menschen, aber eben nicht aller auszeichnen. Im Matrixparadigma kann man sich das vorstellen, als sei in der Blaupause zum Beispiel ein Kontrollkästchen für „Astrologie" aktiviert, so dass die Astrologie für die jeweilige Existenz gültig ist. Die folgenden Kapitel sollen von ein paar überlieferten Mustersystemen berichten, die anscheinend für die Lebenserfahrung vieler Menschen gültig sind, aber es nach der Matrixsichtweise nicht für alle sein müssen.

Karma und was man darunter verstehen
kann

Bei manchen Esoterikern ist es aus der
Mode gekommen an Karma zu glauben,
andere nehmen es weiterhin als
selbstverständlich an. Ich selbst habe mich
mal für Jahre nicht mit dem Thema
beschäftigt und es schien auch gar nicht
nötig. Die landläufige Vorstellung von
Karma schien nicht auf meine
Lebenserfahrung zuzutreffen. Dann eines
Tages gab es Ereignisse in meinem Leben,
die sich nur noch als schlechtes Karma
auffassen ließen. Alles andere ergab keinen
Sinn. Uralte Texte aus Tibet über Karma
waren das Einzige, was die Häufung
unangenehmer Ereignisse zu erklären
schien, die in keinem direkten kausalen
Zusammenhang zueinander zu stehen
schienen.
Ein Grund für mich anzunehmen, dass das
landläufige Karmakonzept eines der
typischen Muster darstellt, die in manchen
Blaupausen zu manchen Zeiten aktiv sind,
in anderen zu anderen Zeiten nicht.
Aber was heißt überhaupt Karma? Wir
können uns nämlich darunter
Verschiedenes vorstellen. Zunächst mal
bezeichnet Karma das Gesetz von Ursache

und Wirkung und damit einfach alle Kausalität. Wenn eine Billardkugel die andere anstößt, wäre in diesem Sinn Karma am Werk.

Karma bezeichnet auch die Wirkungen unserer Entscheidungen und Handlungen, die Konsequenzen unseres Tuns und hat damit etwas mit Verantwortung zu tun. An diese Arten von Karma wird von vielen modernen Menschen geglaubt, ohne dass sie diese Verhältnisse unbedingt mit dem Wort Karma bezeichnen.

Aber gibt es dieses landläufige vergeltende Karma? Ich habe mal jemandem was angetan und dafür geschieht mir irgendwann viel später etwas Vergleichbares? Es kann natürlich sein, das sich jemand direkt rächt, mit etwas heimzahlt. Dann wäre menschlicher Gerechtigkeitssinn eine mögliche Erklärung. Aber wenn mir durch jemand völlig anderen unter ganz anderen Umständen etwas Unangenehmes geschieht, was einer Sache ähnelt, die ich mal getan habe, dann sieht das nach vergeltendem Karma aus.

Beispielsweise Texte von Padmasambhava zeugen davon, dass im Buddhismus tatsächlich an vergeltendes Karma geglaubt wird. Ich bin der Ansicht, dass dieses Muster in der Lebenserfahrung gemäß der eigenen Blaupause vorkommen kann, aber nicht jede Lebenserfahrung unbedingt dadurch bestimmt ist.

Stellen sich die Muster als zutreffend bei einem selbst heraus, kennt der Buddhismus für den Fall von schlechtem Karma eindeutige Methoden, um davon zu befreien. Reue gehört dann mit dazu, wenn sie noch nicht stattgefunden hat, dazu noch Meditationen und rituelle Formeln. Diese Methoden wären dann eben die Matrix-Hacks, die von den schlechten Erfahrungen befreien. Als ich schlechtes Karma zu erleben schien, konnte ich mit diesen Methoden und ein wenig Geduld wieder eine Verbesserung meiner Situation erzielen.

Individuation

Ich muss an dieser Stelle eine ganz aktuelle Anekdote einflechten. Ich war gerade kurz im Wohnzimmer, da fällt mein Blick auf eine Zeitschrift (das "Spiegel Kultur Extra" für Spiegel-Abonnenten), die jemand dort hat herumliegen lassen – ich lebe nicht allein. Auf dem Titelblatt stand groß die Überschrift „Blaupause", darüber das Bild einer blauhäutigen Phantasiefigur. Der Titel bezieht sich auf den neuen Film „Avatar" von James Cameron und das dazugehörige Computerspiel. Dazu fällt mir der Ausdruck „Blaues Wunder" ein. Wer ein gewisses Verständnis des Inhaltes dieses Buches gepaart mit etwas Vorbildung mitbringt, der versteht vielleicht, warum das erwähnenswert ist, wo ich gerade dieses Kapitel beginne. Einen klassischeren Fall von Synchronizität habe ich selten erlebt. Die Idee der Synchronizität spielt eine bestimmte Rolle in der Psychologie von C.G.Jung, um die es eben in diesem Kapitel gehen soll. Solche Erlebnisse legen die Matrix-Sichtweise wohl nahe. Mir fällt gerade noch mehr an diesem Vorfall auf: „Blaupause" heißt auf Englisch „blueprint", so auch in den Englischen Originalausgaben der

Sethbücher. Mehr oder weniger ist das Titelbild ja ein „blue print" – ein blauer Druck, zumindest ist die Figur blau und gedruckt. Wie macht die Realität das? Wenn die Realität tatsächlich so etwas ist wie die Matrix, besteht kaum Erklärungsnotstand. Allerdings stellt sich in solchen Fällen die Matrix weitaus freundlicher dar, als in den Matrixfilmen dargestellt. Ich bin begeistert.

Wie mir scheint, ist C.G.Jung momentan ein wenig aus der Mode gekommen. Ich finde das allzu schade angesichts der Qualität seines Werkes. Nun, man mag sich fragen ob es besser ist, wenn C.G.Jung in aller Munde ist, aber dafür von den Meisten missverstanden wird.

Was für dieses Kapitel interessant sein soll, ist die Musterhaftigkeit des Selbstwerdungsprozesses, über den C.G.Jung aufgeklärt hat. Dieser Prozess heißt bei Jung auch Individuation, und dieser Weg wird wohl nicht von jedem gegangen. Interessant ist in unserem Zusammenhang aber, dass auch dieser Weg Muster aufweist, die wie Programmroutinen aussehen.

Gerade wer Individuation durchmacht, erlebt oft die von Jung beschriebenen Synchronizitätsphänomene. Plötzlich tritt durch die Außenwelt etwas an einen heran, was zum Beispiel kurz vorher im Traum eine Rolle spielte. Oder es häuft sich die zufällige Begegnung mit einem bestimmten Themenbereich, durch den man dann etwas lernen kann. Oder man hat schon begonnen sich mit einem Thema zu beschäftigen und etwas dazu Passendes fliegt einem nur so zu. Die Anekdote am Anfang dieses Kapitels ist ein Beispiel für solche Phänomene.

Für die Schulweisheit bleibt unerklärbar, wie so etwas passieren kann. Wenn wir annehmen, die Realität sei eine Simulation mit grundlegenden aber offenen Plänen für jeden, sind solche Erlebnisse nicht schwer zu erklären. Zwingend ist diese Erklärung nicht, aber ich gebe ihr unter anderem deshalb den Vorzug, weil sie sehr viel erklärt.

Dass sich Motive wie die große Mutter, der böse Bruder, das andersgeschlechtliche Spiegelbild auf solche Arten darbieten, ist Teil der allgemeinsten Muster der Individuation. Wer so etwas erlebt, auf den trifft wohl Jungs Psychologie zu, und er kann Orientierung gewinnen, wenn er sich mit dieser auseinandersetzt.

Ein wichtiger Schritt auf dem Weg der Selbstwerdung ist der zur Kenntnis des eigenen Funktionstypus. Ich habe in einem früheren Kapitel die Erkenntnisfunktionen von Jung eingeführt. Jung behauptet weiter, Menschen haben unterschiedliche Veranlagungen dafür, welche dieser Funktionen bei ihnen gegenüber den anderen dominieren, also am meisten verwendet werden, am verlässlichsten sind und am meisten Einfluss auf Entscheidungen haben. Daraus ergibt sich ein definierbarer Typus.

Die Lebenssituation kann übrigens eine andere Funktionsweise von einem Menschen erfordern als die, die seinem Typus entspricht. Ich sehe hier ein ganz klares Problem mit der Schulbildung hierzulande. Diese fordert vom Schüler fast ausschließlich Denken und Sinneswahrnehmung, wodurch die anderen Funktionen undifferenziert bleiben. Zudem fordert sie Extraversion in der aktiven Teilnahme am Unterricht und Gewahrwerden, also das ständige Aufnehmen neuer Informationen. Diese Anforderungen entsprechen einem Persönlichkeitstypus, der nur 13% der Bevölkerung ausmacht. 87% der Schüler haben damit kaum die Chance während der Schulzeit ihren Typus auszudifferenzieren und enden nach Jahren des Strebens nach guten Noten vollkommen entfremdet und mit allerlei psychologischen und psychosomatischen Problemen. 87% der

Schüler müssen sich lange Jahre schmerzhaft verbiegen.

Es gibt Persönlichkeitstests zur Ermittlung des eigenen Typus von Myers-Briggs und Keirsey. Das Buch „Versteh mich bitte" von David Keirsey und Marilyn Bates enthält so einen Test und zahlreiche Erläuterungen zu den einzelnen Typen, die sehr viel Orientierung geben können. Eine Auseinandersetzung damit kann nach der Theorie meines Buches dazu helfen, in der eigenen Existenz angelegte Programmroutinen möglichst reibungslos zu etablieren, so dass sie möglichst effektiv genutzt werden können.

Zur Ausdifferenzierung der Intuition würde ich die Beschäftigung mit Existenzphilosophie, Modallogik und eventuell Wahrscheinlichkeitsrechnung empfehlen. Wer sein Fühlen emanzipieren muss, der sollte sich damit beschäftigen, was ihm (und seinen Mitmenschen) gut tut und was nicht, könnte sich vielleicht mit Utilitarismus beschäftigen. Auch die Lehren des griechischen Philosophs Epikur dürften für solche Typen genau das Richtige sein. Meine Ratschläge für letzteren Fall bleiben vielleicht aufgrund meiner eigenen Veranlagung hinter den vorherigen zurück.

Astrologie

Die Astrologie kennt zehn Planeten und zwölf Tierkreiszeichen, denen sie gewisse Qualitäten zuschreibt. Aus der Stellung der Planeten sollen Eigenschaften von Erfahrungen ablesbar sein, aus der Stellung der Planeten bei der Geburt eines Menschen seine Charaktereigenschaften. Ausführlichere Darstellungen der Astrologie finden sich zuhauf.

Manche Anhänger der Hermetik sind gar der Ansicht, dass sich alles, was es überhaupt gibt, aus Qualitäten der Planeten zusammensetzt.

Untersucht man das, wirkt es oft überraschend plausibel, allerlei menschliche Erfahrung scheint genau von den Qualitäten der Planeten bestimmt zu sein.

Eine andere mögliche Anschauung ist jedoch, dass es noch mehr Muster als diese gibt. Weiterhin leben manche Menschen in völliger (oft absichtlicher) Ignoranz der Astrologie und kommen mit ihrem Leben bestens zurecht. Andere wissen sich ohne sie nicht zu helfen.

Als relatives Muster scheint mir die Astrologie somit in manchen Blaupausen eine Rolle zu spielen. Trifft das

Geburtshoroskop zu, könnte das heißen, dass die Blaupause bereits in den relevanten Teilen mit den Regeln der Astrologie abgestimmt wurde, und dann zum entsprechenden Zeitpunkt am entsprechenden Ort inkarniert wurde. Mir konnte mein Geburtshoroskop zu Selbsterkenntnis verhelfen und ich kann jedem, der irgendwie das Gefühl hat, dass an Astrologie etwas dran ist, empfehlen, sich mal mit seinem Geburtshoroskop auseinanderzusetzen.

In Verbindung mit Astrologie sind gewisse Matrix-Hacks möglich. So mag man sich mit einem unangenehmen Muster konfrontiert sehen, dem man die Qualitäten mehrerer Planeten zuordnen kann. Man sollte dieses Muster dahingehend analysieren. Möglicherweise kommt man irgendwann denkend nicht mehr weiter. Aber bereits dadurch ist eine Änderung vollzogen. Die Situation wird sich dann ändern. Der Zeitrahmen für die konkrete Änderung kann sehr unterschiedlich sein. Ich vermute wohl allerdings, als Heilmethode körperlicher Krankheitsbilder reicht es nicht immer aus. Eine weitere Übung, die selbst wohl einen Matrix-Hack darstellt, ist die Kontemplation der zehn Qualitäten der Planeten. Man sollte *die allgemeinsten*

Zuordnungen der Planeten für sich selbst finden und diese vielleicht auch notieren. Gerade wenn man sich zu dieser Zeit in anderen Stunden auch in Meditation übt, scheint mir das mit ziemlicher Sicherheit ausgesprochen positive Veränderungen zu bewirken.

Magie

Ich kenne einige Personen, die sich ganz frei heraus als Magier bezeichnen, zumindest Leuten gegenüber, bei denen sie sich das trauen können. Magie ist nach der Theorie dieses Buches hier eben nichts anderes, als die Matrix zu hacken.

In der Chaosmagie wird weitgehend davon ausgegangen, dass dafür veränderte Bewusstseinszustände nötig sind. Weiter zu Anfang ging es um Meditation. Nur ist es nicht für jeden zu jeder Zeit immer so leicht, einen ganz tiefen Meditationszustand zu erreichen, von dem aus man eine Veränderung einfach so bestimmen kann. Magier kennen noch viele andere Methoden, um Erwünschtes eintreten zu lassen. Sicher sind dem Grenzen gesetzt. Unter mir bekannten Magiern war man sich einmal, als es um das Thema ging, einig, dass niemand einen Hauptgewinn im Lotto bewirken könne. Auch hier spielt die Wahrscheinlichkeit eine Rolle. So können Magier zwar Unwahrscheinliches eintreten lassen, allzu Unwahrscheinliches jedoch mag zu schwer herbeizuführen sein.

Viele Magier kommen nach jahrelanger Praxis zu dem Schluss, dass die Methode der Sigillenmagie ausgesprochen erfolgversprechend ist, nach Jahren sieht es immer so aus, dass sich fast alle Sigillenzauber erfüllt haben. Sigillenmagie ist wesentlich einfacher, als meditierend bewusst genug in den „Schaltpultmodus" zu gelangen. Da sie an vielen Stellen erläutert wird, unter anderem noch einmal im Anhang dieses Buches, will ich an dieser Stelle keine Anleitung zu Sigillenmagie geben. Sigillenmagie kann man im Sinne der Matrix-Theorie ganz sicher einen Matrix-Hack nennen.

Es gibt magische Techniken, die je nach Kenntnisstand völlig irrational wirken können, anscheinend jedoch trotzdem wirksam sind. Ein Beispiel dafür wäre das Herumtragen von etwas Zimt in einer Tasche, wodurch man Geld anziehen soll. Stellen wir uns das als Matrix-Hack vor, wirkt es auf einmal vorstellbar, dass das funktioniert.

Formeln, Mantras und Rituale wären dann auch immer nur Befehle, die die Programmroutinen beeinflussen.

Magier schwören übrigens wesentlich öfter erfolgreich zu sein, als die Psychokinese in parapsychologischen Laboruntersuchungen. Nun findet ja auch okkulte Magie unter ganz anderen Bedingungen statt, so wird ein Magier meistens für die Erfüllung seines Zaubers viel mehr Zeit einräumen als für die Beeinflussung eines Zufallsgenerators im Labor gegeben ist, was die Wahrscheinlichkeit für das Eintreten des gewünschten Ergebnisses natürlich erhöht.

Wie so viele Magier kann auch ich sagen, dass die Auseinandersetzung mit dem Themenbereich Okkultismus lohnenswert ist. Die selbständige Suche von Methoden soll dem interessierten Leser überlassen bleiben. Ich empfehle, den Themenbereich rein pragmatisch anzugehen, das heißt nach Anwendbarem zu suchen, statt sich religiösen Dogmen zu verpflichten. Man sitzt sonst allzu leicht Leuten auf, die einen übers Ohr hauen wollen.

Für den Fall von Geworfenheit

Was ist nun, wenn einen meine Thesen hier überzeugen, man sieht sich jedoch nicht in der Lage mal aus der Matrix auszusteigen? Nun, selbst wenn man es schafft, wird man doch aus der Meditation wieder erwachen. Vielleicht geht dann das Leben unter veränderten Vorzeichen weiter, aber in jedem Fall geht es weiter.

Immer wieder finden wir uns „geworfen" vor, wie der Philosoph Martin Heidegger es nannte. Immer wieder sind wir das Ego in dem sterblichen Körper.

Dieses Leben werden wir weiter leben müssen, und in diesem Buch steht bereits viel, was dabei helfen kann. Vielleicht machen wir die nächsten Atemzüge ohne das Gefühl, das Leben hätte einen Sinn. Aber das hindert nicht am Weiteratmen. Es hindert nicht daran, einen nächsten Genuss zu finden, auch wenn es ein kleiner ist.

Vielleicht offenbart sich uns kein höheres Selbst und wir leben einfach dahin. Ich bin dennoch ich, und ich lebe. Möglicherweise kann ich nur auf mich selbst vertrauen, aber tue ich das und mache weiter, trete ich einen Beweis an.

Mir fällt nicht viel dazu ein. Aber wer sich hier wiederfindet, mag in den letzten

Absätzen ein bisschen Trost finden. Kopf hoch mit Stolz!

Bardo-Krisen

Viele Autoren warnen vor Gefahren auf spirituellen Wegen. Meine Lebenserfahrung macht mich geneigt, das auch zu tun. Nun, was heißt Gefahr? Bleibt man bei der Sache, ist mit Spiritualität der körperlichen Gesundheit oft ein Gefallen getan – langfristig. Ich kenne da wenig Gefahr für Leib und Leben, wenn man ein Matrix-Hacker wird. Leider besteht wohl dennoch eine Gefahr für die Psyche. Im günstigen Fall wird ein Matrix-Hacker, Mystiker oder Magier sogar psychisch stabiler als die meisten seiner Mitmenschen. Es gibt jedoch Fälle, die Probleme bekommen. Wenn ich mich so umsehe, sind diese Fälle eindeutig in der Minderheit, ganz anders als im Fall der Krise, von der das nächste Kapitel handeln wird.

Leider können in wenigen Fällen spirituelle Praktiken das Eintreten seltsamer Wahrnehmungen oder die Entwicklung wahnhafter Zustände, *mit denen der Praktizierende selbst nicht umgehen kann*, begünstigen.

Einen Zustand völliger Verwirrung nach dem Tod zwischen Samsara und Nirvana nennen die Tibeter Bardo. Wer es von hier aus nicht ins Nirvana schafft, wird in Samsara wiedergeboren. Wenn Wahnsinn bei spirituell Praktizierenden entsteht, ähnelt das der Beschreibung des Bardo. Das Erleben kann alptraumhaft sein, es können Halluzinationen eintreten und das im Wachzustand. Ein wichtiger Hinweis liegt im folgenden Satz: Es scheint als würden sich Traumzustände im Wachzustand aufdrängen, nicht wie ein „abschaltbarer" Tagtraum, sondern man kann scheinbar nicht anders als sie *zusätzlich zur Realität* wahrzunehmen. Begriffe wie Ich-Verlust und Realitätsverlust sind Mythen der Psychiatrie und entspringen vermutlich sadistischen Wunschvorstellungen des Pflegepersonals.

Im Buddhismus sind solche seltsamen Wahrnehmungen bekannt und werden eindeutig *nicht* als erstrebenswertes Ziel des Weges, sondern eher als lästige und störende Ablenkungen angesehen.

Ich wiederhole noch mal, dass sie bei den meisten Praktizierenden nicht eintreten!

Vermutlich zeichnen sich auch solche Personen, die ich Matrix-Hacker nenne, dadurch aus, dass solche Krisen bei ihnen wieder vorbeigehen, falls sie auftreten, wenn sie auch lang andauern können. Ich halte Betroffene nicht für die schlechteren

Adepten. Sollten sie eine solche Krise meistern, haben sie vielleicht anderen Adepten sogar etwas voraus.

Oft ergibt sich ein irgendwie gearteter Konflikt mit der umgebenden Gesellschaft – stärker oder schwächer. Die Fälle, in denen surreale Wahrnehmungen vollkommen in die Lebensführung integriert werden können, sind in manchen Gegenden sehr selten.

Was ist in solchen Fällen zu tun?

Wenn illegale Drogen im Spiel waren, sollte deren Konsum sofort für alle Zeit eingestellt werden. Es bringt sowieso nichts mehr. Wenn die Wirkung einen überfordert, hat man nichts mehr davon.

Künstlerische Betätigung kann sehr sinnvoll sein. Seltsame „Energien" können so gebunden oder ausgeschöpft werden, so dass ansonsten nur Vernunft übrig bleibt. Viele manisch-depressive Künstler haben genau das vorgelebt und oft herausragende Werke geschaffen. Und mit Werken meine ich tatsächlich Skulpturen, Gemälde, Zeichnungen, Musikstücke, Theaterstücke, Filme, Gedichte, Geschichten und Bücher. Leider reicht das nicht in allen Fällen aus.

Und ob man es glaubt oder nicht, die Psychiatrie kann heute tatsächlich helfen. Eigenes Bemühen um Vernunft ist im Fall einer psychiatrischen Behandlung unerlässlich. Meist haben Psychiater keinen Hang zum Esoterischen, deshalb lässt man diesen Themenbereich in der Behandlung am besten außer Acht. Meditation ist nicht krank. Wer im Rahmen von Buddhismus meditiert, praktiziert eine Weltreligion. Fühlt man sich allerdings durch Stimmen belästigt, die sonst niemand hört, kann ein Psychiater die heute fast schon einfach so abschalten und man kann ganz normal weiterleben.

Stimmenhören ist eines dieser Phänomene, über das auch schon alte buddhistische Texte berichten, über Einzelfälle wohlgemerkt. Buddhistische Gemeinden können unter Umständen noch zusätzlich ganz hilfreiche Ratschläge vermitteln.

Psychosen kommen bei spirituellen Menschen vor und sind, wenn man die obigen Ratschläge befolgt, eigentlich nicht mal ein Beinbruch. Eine psychiatrische Diagnose ist erst recht kein Todesurteil. Ein Problem, für das es in der Matrix Lösungen gibt.

Man hört manchmal von Menschen, die damit leben, mit Geistwesen zu kommunizieren oder Ähnliches. Wenn das keinerlei Probleme bereitet, ist das natürlich auch keine Krise. Wenn diese Menschen gesegnet sind mit dem richtigen

Umfeld und vielleicht auch den richtigen Geistwesen, sehe ich da überhaupt kein Problem.

Entstehen allerdings aus veränderter Wahrnehmung nur Konflikte und Probleme, kann ein Psychiater helfen, und man hat tatsächlich nichts zu verlieren, sondern wird nur eine Quelle von Frustration los.

Dunkle Nacht der Seele

Nein, nicht jeder wird wahnsinnig, aber fast jeder Mystiker, Magier, Esoteriker oder spirituelle Mensch, den ich kenne, hat Zeiten erlebt, in denen es ihm sehr schlecht ging. Nichts schien einen Sinn zu haben, keine Bemühung war von Erfolg gekrönt, eine dichte Dunkelheit und Einsamkeit schein einen zu umfangen, man wusste nicht wofür das Ganze, sah keine Perspektive für die Zukunft.

Auch wenn die Bezeichnung „Dunkle Nacht der Seele" der christlichen Mystik entstammt, so habe ich sie auch schon Buddhisten, Chaosmagier, sogar Satanisten verwenden hören für Zustände, die sie durchmachten. Mensch setzen sie gleich mit der alchimistischen Nigredo. Ich habe derartige Zustände von unterschiedlicher Länge selbst schon erlebt. Ob wir sie als Prüfung oder Fehlfunktion ansehen, sie gehen vorüber.

Manchmal kann man noch selbst daran arbeiten, den Zustand zu verbessern, manchmal scheint selbst das unmöglich. Der Zustand ist letztlich nichts anders als eine Depression und alles, was gegen Depressionen hilft, hilft auch hier.

Erscheint die dunkle Nacht der Seele als Komponente der eigenen Spiritualität so scheint sie mir jedes Mal einer entscheidenden Entwicklung vorauszugehen. Ist die Phase vorüber, scheint eine Neugeburt stattgefunden zu haben. Und eigentlich kann man sich auf das freuen, was auf die dunkle Nacht der Seele folgt.

Schlusswort und Überleitung zum Anhang

Ich sagte eingangs, dieses Buch enthielte keine einzige Behauptung. Nun ist es fertig und ich muss feststellen, das Buch enthält Anleitungen zu praktischen Übungen, empirische Tatsachen, Hypothesen und Referate von Fremdinformationen, hier und da ein klein wenig Polemik, denn ich bin schwach.

Wozu sollte ich auch etwas behaupten? Irgendwann wird sich zeigen, wie wahr die Informationen in diesem Buch sind. Ideologische Kämpfe, an denen sich ja oft auch sogenannte Wissenschaftler beteiligen, verhelfen niemals zur Erkenntnis von Wahrheit. Nichts spricht dafür, dass immer die Information wahr ist, die einen Kampf gewinnt.

Wenn die, die bereits mehr wissen als die meisten weiter in ihrer Suche nach Wahrheit fortfahren und ihre Erkenntnisse festhalten und mitteilen, wird sich das weiter zu wahrem Wissen zusammenfügen und wir werden den vorschnell dogmatisierenden und behauptenden Pöbel weiter hinter uns lassen auf dem Weg zu immer umfassenderem wahren Wissen, das zur Verbesserung der Wirklichkeit beitragen kann.

Manche Informationen in diesem Buch entziehen sich gegenwärtig der experimentellen Untersuchbarkeit unter Laborbedingungen. Dennoch können einzelne Leser bereits für sich prüfen, wie viel Sinn die Informationen für sie ergeben und wie nützlich sie sind und ich hoffe, einzelne Leser können damit Verbesserungen für sich oder andere bewirken in einer Zeit, in der die Schulweisheit nicht jedem hilft.

Zusammenfassend kann ich es etwa folgendermaßen darstellen:

Die Wirklichkeit ist eine Simulation – die Matrix.

Die Matrix ist eine Multiplayer-Simulation, es gibt keinen Spieler, der der einzige ist.

In der Matrix gelten die bekannten Naturgesetze.

Durch Meditation kann ein Ort außerhalb der Matrix erreicht werden, von dem aus die Matrix souveräner manipuliert werden kann.

Jeder Mensch ist nicht nur ein in der Matrix lebendes Ego, sondern auch ein außerhalb davon existierendes Selbst (bekannt unter den Bezeichnungen höheres Selbst, wahres Selbst, inneres Selbst, wahres Wesen, Buddha-Natur, Purusha etc.)

Das Selbst kann sich dem Ego verbergen oder offenbaren.

Das Selbst hat einen Lebensplan, genannt Blaupause für sein Leben als Ego, der typische Versatzstücke enthalten kann, die bei vielen Menschen vorkommen.

Man kann innerhalb der Matrix gewisse Handlungen ausführen, die zu gewissen Ergebnissen führen, ohne dass die bekannten Naturgesetze als Erklärung dafür herhalten könnten, weil die Matrix entsprechend programmiert ist. Nur unter bestimmten Bedingungen werden diese Funktionen freigeschaltet.

Nun sieht das nach einer wundervollen Theorie von Allem aus, und dennoch ist sie nicht gerade wissenschaftlich, steht jedoch auch nicht in Konflikt zu wissenschaftlichen Erkenntnissen. Wissenschaft behält darin volle Gültigkeit. Die oben zusammengefassten Hypothesen sind in Begriffen der Wissenschaft vorschnell. Sie sind auch keine Behauptungen, sie sind eine Perspektive, die Menschen einnehmen können. Ich bin überzeugt, dass es einen Nutzen haben kann, wenn meine Leser diese Perspektive einnehmen. Notfalls muss sie korrigiert werden. Die Perspektive bietet den Vorzug, dass sie beispielsweise Homöopathie oder

Synchronizität bereits einmal vorschnell erklärt, bevor wissenschaftliche Detailerklärungen vorliegen.

Ich stehe im Kontakt zu ein paar Okkultisten unterschiedlicher Couleur. Auffallend ist, dass sie doch alle sehr unterschiedliche Weltbilder haben, sie geben auch unterschiedlichen physikalischen Theorien den Vorzug. Somit ist das bisher Gesagte nicht etwa das eine Weltbild der Magier, ein solches gibt es nicht als einheitliches.

In der Chaosmagie ist es ganz normal, verschiedene Glaubenssysteme, die man dort Paradigmen nennt, anzunehmen. Das Matrixparadigma ist eines davon, das mir besonders nützlich erscheint. Man möge mir nachsehen, dass das Buch dennoch ein paar ernsthaftere philosophische Aussagen enthält.

Ich habe die Matrixsichtweise nicht ununterbrochen eingenommen, wie im Anhang ersichtlich werden wird. Es ist gar nicht so lange her, dass ich den Text „Chaosmagie, Wunscherfüllung und Glück durch das Absurde" schrieb. Gedacht war er als etwas niveauvollere Alternative zu den Wunscherfüllungsbüchern auf Geschenkartikelniveau und fristete ein wenig erfolgreiches Dasein in einem Downloadportal im Internet. Der Text

116

beinhaltet so etwas wie eine Annäherung an Chaosmagie aus existenzialistischer Perspektive. Vielleicht kann er interessant oder nützlich sein.

Anhang:

Chaosmagie, Wunscherfüllung und Glück durch das Absurde

„Wenn du dir etwas wünschst und ganz fest daran glaubst, dann geht dein Wunsch in Erfüllung." Diesen Satz kennt wohl jeder von uns. Keiner weiß wohl so genau woher. Er scheint nur irgendwie aus unserer Kindheit zu stammen.

Hat uns irgendein Erwachsener diesen Satz glauben lassen? Bringt diese Gesellschaft ihren Kindern solche Dinge bei? Dieselbe Gesellschaft, die den Heranwachsanden davon zu überzeugen trachtet, dass seine Wünsche keinerlei Wirkung haben?

Oder kommen gar so ziemlich alle Kinder auf der Welt von selbst auf die Idee, diesen Glaubenssatz zu formulieren? Für ein Kind muss dieser Satz einfach wahr sein, er erscheint vollkommen logisch.

Nun erinnern Sie sich für einen Moment an die Zeit in Ihrem Leben, als dieser Satz für Sie wahr war! Spüren Sie dem Sinn dieses Satzes nach! Erinnern Sie sich, warum Sie daran geglaubt haben!

Und nun denken Sie daran, was aus Ihren Wünschen geworden ist! Vermutlich haben

Sie nicht all Ihre Wünsche verwirklichen können. Manche Wünsche haben mit der Zeit an Bedeutung verloren. Es ist vermutlich gar nicht schlimm, dass Sie sich nicht erfüllt haben. Sie haben sich in eine andere Richtung entwickelt, wollten etwas Bestimmtes irgendwann gar nicht mehr.

Sie haben also mit Sicherheit gelernt loszulassen. Von vergeblichen Wünschen Loslassen ist eine Methode, die die schlimmsten Depressionen mildern kann. Es geht auf jeden Fall weiter. Diese Methode möchte ich besonders hervorheben, auch wenn der Rest dieses Buches von einem anderen Umgang mit Wünschen handeln wird. Wenn Sie vollkommen verzweifelt sind, weil Sie irgendetwas nicht bekommen, beherzigen Sie meinen Rat, lassen Sie ihre Wünsche los! Die Zeit bringt neue Perspektiven, die Sie vielleicht noch gar nicht erahnen können.

So könnten Sie also auch feststellen, dass Sie schon lange gewisse Wünsche hegen, die sich nie erfüllt haben. Wenn diese Wünsche alt genug sind, dürften sich schon andere Perspektiven geboten haben als die Erfüllung dieser Wünsche, vielleicht sind Sie sogar glücklich geworden, was alles andere als die Erfüllung dieser alten Wünsche angeht.

Vielleicht bemerken Sie auch, wenn Sie sich an Ihre Wünsche zurückerinnern, dass sich einige erfüllt haben. Wie kam es eigentlich dazu? Möglicherweise finden Sie überhaupt keine klare Antwort auf diese Frage. Manches ist eben passiert. Manches hat funktioniert. Stellen Sie sich ruhig die Frage, wie es sein konnte. Wenn Sie zu keiner eindeutigen Antwort kommen, ist das nicht schlimm. Aber schon die Frage lässt irgendwo eine Antwort erahnen. Da erscheinen irgendwelche Umrisse, möglicherweise in totaler Finsternis. Merken Sie sich einfach, dass es da etwas gibt!

Nun erinnern Sie sich kurz, was für ein Weltbild man Sie in der Schule gelehrt hat! Es gibt Naturgesetze, und von denen ist alles bestimmt – Punkt. Nun ist das ja gar nicht mal komplett falsch, aber eben nicht die ganze Wahrheit. Vielleicht hatten Sie genau wie ich nach der Schulzeit Gelegenheit, das herauszufinden.

Jedenfalls war in diesem Weltbild gar kein Platz für Wünsche, die sich erfüllen. Aber nun sind Wünsche eben menschlich, und deshalb bleiben Viele eben nicht bei diesem Weltbild. Manche lehnen es vielleicht völlig ab, andere setzen Ihm den freien Willen oder irgendwelche übernatürlichen Kräfte hinzu.

Man kann einfach in der nächstbesten Buchhandlung irgendein Esoterikbuch kaufen und wird schon eine Alternative zum Weltbild aus der Schulzeit finden. Man kann sich großen oder kleinen Religionsgemeinschaften anschließen und kräftig glauben, hier liege die Wahrheit.

Sind Sie jemand, der irgendetwas Derartiges gemacht hat? Meine Frage ist: was ist jetzt mit Ihren Wünschen? Haben sie sich jetzt etwa alle erfüllt? Haben Sie sich Ihre Wünsche vielleicht gar ausreden lassen? Nicht von der Naturwissenschaft, sondern diesmal von einer Religion oder Heilslehre?

Nun fällt unter diesen Oberbegriff Esoterik auch eine kleine Erscheinung, die vielen Esoterikinteressierten dann doch zu unheimlich ist und wohl auch seltener in den Regalen der Buchhandlungen vorkommt: die Magie.

Ich hoffe, ich konnte Sie erahnen lassen, welche Wege die meisten Menschen gehen. Mutet es da nicht seltsam an, dass es heutzutage erwachsene Menschen gibt, die behaupten Magie zu praktizieren, also mit ihren Wünschen anscheinend noch in etwa so umgehen wie das Kind, dass sich einfach etwas wünscht und ganz fest daran glaubt, dass der Wunsch in Erfüllung geht?

Kann das denn funktionieren?

Ich würde sagen, ja.

Nur muss ich Ihnen gestehen, sich etwas wünschen und ganz fest daran glauben, reicht in der Magie doch nicht aus, damit ein Wunsch in Erfüllung geht, oder zumindest nur sehr selten. Nein, Magier tun tatsächlich alles mögliche andere, damit ihre Wünsche sich erfüllen.

Offen gesagt, bei manchen Magiern weiß ich auch nicht, ob Sie überhaupt noch an der Erfüllung ihrer Wünsche arbeiten. Sie verkleiden sich, kommunizieren mit außerweltlichen Wesen, haben Visionen, bewegen ein paar altertümliche Gegenstände in der Luft und manchmal weiß niemand, ob all das überhaupt noch irgendeinem Zweck dient, oder nur ein sehr ausgefallenes Hobby darstellt, in dem man sich immer weiter verbessern will, wie in einem Leistungssport.

Es ist sicher nicht das uninteressanteste Hobby, und es können eben auch die verblüffendsten Dinge passieren, wenn man es betreibt. Aber im Bereich der Magie gibt es leider auch unendlich viele Möglichkeiten, die mit der Erfüllung der eigenen Wünsche nichts zu tun haben, und einen nicht nur davon abzulenken vermögen, sondern auch von vielen wichtigen Aspekten des menschlichen Lebens.

Als sich in den 1970er Jahren die Chaosmagie entwickelte, schien es sogar eine Besonderheit, dass sich ihre Vertreter dafür aussprachen, Chaosmagie solle reale Resultate hervorbringen. Nun bergen natürlich auch andere Formen der Magie diese Möglichkeit, aber eben auch in stärkerem Maße die Gefahr, dass der Magier dieses Ziel aus den Augen verliert.

Zudem möchte ich hier auf eine traurige Tatsache hinweisen: viele magische Traditionen, besonders solche, die ein sehr starkes Augenmerk auf Rituale legen, fördern oder verlangen vom Praktizierenden mentale Zustände und Erfahrungen, die eine strukturelle Gleichheit mit solchen aufweisen, die in Psychosen aus dem schizophrenen Formenkreis vorkommen.

Die Anhänger solcher Traditionen sind sehr bestrebt sich von Psychotikern abzugrenzen und sehen solche Erfahrungen nicht als psychotisch an, sofern sie denn ihrem religiösen Glauben entsprechen. Ich hege jedoch den Verdacht, dass die Resultate solcher Magie immer nur im Bereich der Illusion liegen und damit nur dieselben psychischen Prozesse in Gang gesetzt werden, die auch eine Psychose am Laufen halten.

Nun glauben manche, dass gerade die Chaosmagier die Verrücktesten von allen seien. Man meint, hier sei nur alles unkontrolliert und gerade da liege die Gefahr für den gesunden Menschenverstand. Nun kann man aber kaum alle Chaosmagier über einen Kamm scheren, es hängt wirklich vom Einzelnen und seinen Praktiken ab, wie es um seine psychische Gesundheit bestellt ist. Jedenfalls gehen Chaosmagier nicht unbedingt eine Verpflichtung ein, Praktiken auszuüben, die ihren gesunden Menschenverstand aufs Spiel setzen. Und gerade die Chaosmagie kennt auch Methoden zur Bewahrung des gesunden Menschenverstandes.

Nun, ich möchte mit diesem Buch keine weitere „Einführung in die Chaosmagie" schreiben. Es gibt bereits mehrere. Wer sich darunter wirklich nichts vorstellen kann, sollte ergänzend das Buch *Chaosmagie – Grundlagen und Hintergünde* von Jaq D. Hawkins oder das E-Book *Knack und Back Chaos* von Phil Hine lesen.

Ich werde in diesem Text nur ein paar eigene Ratschläge und Ansichten zum Thema darbieten. Vielleicht hilft es Ihnen, in die Magie im Allgemeinen oder die Chaosmagie im Speziellen einzusteigen, wenn Sie sich aktiv um die Erfüllung Ihrer Wünsche bemühen wollen.

Manche beschäftigen sich vielleicht schon länger mit Magie, aber die bisherige Lektüre oder eigene Versuche brachten noch nicht den Zündfunken, der das Ganze zum Funktionieren gebracht hat. Vielleicht kann ich da Manchem helfen.

Ob ich erfahrenen Magiern noch helfen kann, weiß ich nicht, aber da meine Perspektive in mancher Hinsicht unorthodox ist, kann sie vielleicht auch ihnen neue Anstöße geben.

Meine sonderbare Sichtweise ergibt sich aus der Tatsache, dass ich nicht nur Chaosmagier, sondern auch Existenzialist bin. Nun wird Existenzialismus oft dargestellt als rein materialistische Weltanschauung, die mit Metaphysik nichts am Hut habe, die totale Ausweglosigkeit behaupte, die dem Menschen nahelegt, er solle all seine Bestrebungen von vornherein aufgeben.

Diese Darstellung ist falsch, in mancher Hinsicht fast das genaue Gegenteil dessen, was Existenzialismus wirklich bedeutet. Ich habe die wichtigsten existenzphilosophischen Werke gelesen und mir wurde ein hoher IQ bescheinigt. Die Wahrscheinlichkeit ist gering, dass ich alles missverstanden habe.

Zu Beginn des Films *Waking Life* werden ein paar Worte über die Philosophie Jean-Paul Sartres verloren, die von einem besseren Verständnis seiner Werke zeugen als es die meisten Autoren haben, die versuchen aus zweiter Hand zu erklären, was Existenzialismus ist. Mit diesem Film können sie sich gegen die zahlreichen falschen Darstellungen, wie man sie im Internet überwiegend findet, impfen.

Das falsche populäre Verständnis des Existenzialismus resultiert wohl auch aus der Tatsache, dass die existenzialistischen Denker stets Begriffen wie Angst, Schuld, Sorge, Nichts oder auch Unaufrichtigkeit Schlüsselpositionen in ihren Konzepten zugewiesen haben.

Es zeugt allerdings von einer ausgesprochen oberflächlichen und unaufmerksamen Lesart, wenn man übersieht, dass diese Begriffe allesamt von ihnen umgedeutet werden und anstatt der alltagssprachlichen Bedeutung eine wertneutrale oder gar positive Bedeutung erhalten. Es geht hier nicht nur um eine Umwertung, sondern die Begriffe bezeichnen tatsächlich etwas anderes als im normalen Sprachgebrauch.

Worum geht es nun wirklich im Existenzialismus? Zum Beispiel wird die Innenperspektive des Menschen für unleugbar gültig erklärt, Sartre spricht unverhohlen von Bewusstsein, Heidegger vermeidet das Wort. Uns wird erklärt, die Natur dieser Innenperspektive erscheint als eine grundlegend andere als die der objektiven Außenperspektive, der Dinge. Uns wird vor Augen geführt, dass wir Entscheidungen treffen, dass wir aus Möglichkeiten wählen können, dass im Verlauf der Zeit Möglichkeiten wirklich werden, dass wir konfrontiert sind mit einer Vergangenheit, einer Gegenwart und einer Zukunft, die sich strukturell voneinander unterscheiden, dass wir als Mensch in einem Verhältnis zu einer Welt stehen, in der wir in keinem Fall der einzige Mensch sein können.

Es geht um Freiheit!

Dabei wird nicht geleugnet, dass die Wirklichkeit Widerstände für unsere Freiheit bieten kann, aber gerade das macht unsere Freiheit fühlbar und widerlegt sie keineswegs.

Bringen wir es zunächst auf eine einfache Formel, die wir uns als Paradigma für unsere Magie zulegen können:

Ich bin ein freies Bewusstsein, durch seinen Körper mit einer Welt verbunden. Alle Vergangenheit ist für mich unveränderlich. In der Gegenwart trifft die

Zukunft auf die Vergangenheit. Die Zukunft enthält unterschiedlich wahrscheinliche Möglichkeiten. In der Gegenwart kann ich handeln, indem ich Möglichkeiten wähle, die durch mein Handeln wirklich werden und Konsequenzen haben.

Dieses Paradigma hat sich als ausgesprochen nützlich erwiesen, ermöglicht allerdings nicht das Phänomen, das der Chaosmagier Peter Carroll retroaktive Verzauberung nennt. Carroll behauptet, es sei möglich mithilfe von Magie die Vergangenheit zu verändern. Ich kann Ihnen keinerlei Methoden dazu an die Hand geben. Für alle anderen Zwecke ist das existenzialistische Paradigma allerdings bestens geeignet.

Es ist in der Chaosmagie üblich, sich Paradigmen zuzulegen, sprich Glaubenssätze oder –systeme, die einem helfen sollen, bestimmte Ziele zu erreichen, und sie durch Zweifel auch wieder abzulegen, wenn sie sich nicht als nützlich erweisen.

Als Chaosmagier könnten Sie sich also entscheiden, das Paradigma zu glauben, dass ich Ihnen eben angeboten habe. Ich habe mir im Laufe der Jahre durch Lektüre der existenzphilosophischen Klassiker natürlich die ganz umfassende, detaillierte Variante dieses Paradigmas angeeignet, dem ich Chaosmagie mittlerweile eher unterordne. Es ist natürlich auch möglich, diesem Paradigma nur relative Wahrheit zuzusprechen und ihm die Chaosmagie überzuordnen. Das bleibt Ihnen überlassen.

Vielleicht kann ich Ihnen mit etwas mehr Formelhaftigkeit und Poesie noch besser zur Aneignung dieses Paradigmas verhelfen.

Die Horizontperspektive

Ich stehe dem Horizont gegenüber. Oben ist der Himmel – unten die Erde. Oberhalb des Horizontes ist alles beweglich, unterhalb ist alles fest. Ich kann hier eine Pflanze säen, die als Baum in den Himmel und in die Zukunft wachsen wird.

Oberhalb des Horizontes ist die Zukunft mit näheren und ferneren Möglichkeiten. Diejenige, die ich wähle, die nächstmögliche, sinkt hinab in die

Vergangenheit und wird Wirklichkeit.
Versuche ich diese Tat, kann es
Widrigkeiten geben. Viele Faktoren
bestimmen die Wahrscheinlichkeit der
Verwirklichung einer Möglichkeit, doch
ohne Zweifel bin ich selbst einer dieser
Faktoren.

Die Horizontperspektive taucht übrigens in
verschiedenen Formen immer wieder in
der Geistesgeschichte auf, auch im
Okkultismus, sie stellt einen Schlüssel zur
Vernetzung verschiedener Paradigmen und
Symbolsysteme dar. Beispielsweise enthält
das Buch *Der Begriff Angst* von Sören
Kierkegaard Passagen über die
Horizontperspektive. In der Zeit, in der
man sich mit diesem Buch beschäftigt,
kann man als Chaosmagier sehr gut das
Thoth-Tarot von Lady Frieda Harris und
Aleister Crowley anwenden, dessen
Symbolik perfekt zu dieser Abhandlung von
Kierkegaard passt.
Nun sind meine kleinen Bemerkungen über
die Horizontperspektive wirklich nur eine
drastische Kurzform der Erläuterungen
großer Denker über die Struktur der
Existenz. Wenn man sie aufmerksam liest
und darüber nachdenkt, sollten sie
allerdings einen intuitiven Einstieg ins
existenzialistische Paradigma ermöglichen.

Vielleicht sollte ich noch erwähnen, dass der Existenzialismus sich erlaubt hat, das hermetische Diktum „Wie oben, so unten." für falsch zu erklären, womit sicher manche Magieinteressierte vor eine Glaubensentscheidung gestellt sind.

Auch ist Existenzialismus etwas anderes als Solipsismus, der behauptet, die Welt sei eine Illusion, die ich selbst hervorbringe, womit es außer mir überhaupt keine bewussten Menschen geben kann. Nein, der Existenzialismus sieht die Welt als wirklich an, nur sei eben jeder Mensch daran beteiligt, wie diese Wirklichkeit aussieht.

Tja, und was machen wir jetzt mit der Naturwissenschaft? In der Schule hat man uns doch eine Naturwissenschaft gelehrt, die von all dem nichts wissen will, und damit nebenbei bemerkt nicht gerade die Menschenrechte stützt. Nun sind natürlich wissenschaftliche Erkenntnisse solche, die empirisch gewonnen werden, durch Erfahrung, durch Experimente.

Überhaupt kein Problem! Nehmen Sie zum Beispiel das Buch *The Conscious Universe* von Dean Radin. Dort werden unter anderem die Ergebnisse jahrzehntelanger Studien vorgestellt, die die Beeinflussung von Zufallsgeneratoren durch den menschlichen Willen zum Gegenstand hatten. Wenn ein Zufallsgenerator mit gleicher Wahrscheinlichkeit die Werte 0 oder 1 produziert, sollte er das nach Jahrzehnten für jeden der beiden Werte genau gleich oft getan haben, oder nicht?

Wenn Menschen sich einfach darauf konzentrieren, dass der Zufallsgenerator einen der beiden Werte hervorbringt, sollte er diesen nach Jahrzehnten genau in 50% der Fälle erzeugt haben, wenn der menschliche Wille den Zufallsgenerator nicht beeinflussen kann.

Nun kam aber in all diesen Jahrzehnten in etwa 51% der Fälle der Wert heraus, den sich die Versuchspersonen wünschten. Das kann nach jahrzehntelangem Betrieb von Zufallsgeneratoren eigentlich gar nicht sein, wenn nicht der menschliche Wille es geschafft hat, dass ein Wert häufiger erzeugt wird.

Nun, von einer Allmacht des menschlichen Willens kann man bei diesem Ergebnis sicher nicht sprechen, sonst wäre das Ergebnis 100%. Richtiger scheint es zu sagen, wir sind eben am Geschehen beteiligt. Übrigens: heben Sie mal kurz den rechten Arm! Sehen Sie? Es passiert exakt das, was sie wollen. Also keine Bange! In manchen Bereichen können Sie immer genau das erreichen, was sie wollen.

Nun würde ich mir wünschen, dass Sie sich von ihren eigenen „magischen" Fähigkeiten überzeugen. Der wissenschaftliche Ausdruck für das, was Sie versuchen sollen, heißt übrigens Psychokinese.

Es gibt im Internet eine Seite mit einem Psychokineseexperiment, an dem Sie von Zuhause aus teilnehmen können. Die Adresse lautet: http://bs.cyty.com/menschen/e-etzold/archiv/telemech/index.htm Ich hoffe sehr, die Seite bleibt online, solange dieses Buch hier gelesen wird, zumindest gibt es sie schon seit einigen Jahren.

Probieren Sie mal aus, diese kleine Biene zu beeinflussen. In vielen Fällen werden wohl zunächst alle möglichen Ergebnisse herauskommen. Aber sie können folgendes tun: Jedes mal wenn sie bei über 50% liegen, belohnen Sie sich mit einer Süßigkeit, die Sie gerne mögen. Wenn Sie keine Süßigkeiten mögen, belohnen Sie sich auf andere Weise. Wenn es bei Ihnen funktioniert wie bei mir, sollten Sie bald überwiegend Treffer hervorbringen.

Wichtig ist, dass Sie sich selbst beweisen, dass Sie es können!

Nun mögen Sie bemerken, dass Sie diese Biene des Öfteren beeinflussen können. Leider ist schwer zu sagen, wie genau man das vollbringt. Irgendetwas tut man und das, was man tut, ist Magie. Will man nun auf diese Weise irgendwie sein Leben verbessern, ist man wahrscheinlich ratlos, wie man das anstellen soll, wo man mit dieser Aktivität ansetzen soll, wie man diese Tätigkeit in Bezug auf Lebensumstände anwenden kann. Wir werden noch auf bewährte Techniken zu Sprechen kommen, mit denen das möglich ist, die allerdings in gewisser Weise trickreiche Umwege darstellen. Aber seien Sie versichert, schon unzählige Male haben Magier mit diesen Techniken genau das bekommen, was sie sich wünschten.

Führen wir uns zunächst noch gewisse Besonderheiten des Bienenexperiments vor Augen. Was wir hier beeinflussen, ist ein zufälliger Prozess. Das bedeutet, dass ohnehin schon die Möglichkeit besteht, dass das erwünschte Ergebnis eintritt. Wir sollten im Hinblick auf unsere Wünsche darüber nachdenken, wie möglich deren Erfüllung ist. Können wir in etwa einschätzen, wie groß die Wahrscheinlichkeit ist, dass wir bekommen, was wir wollen? Spielt der Zufall dabei eine Rolle? Hat der Zufall genug Platz in unserem Leben, damit er uns die Erfüllung unserer Wünsche bescheren kann, wenn wir erfolgreich dafür zaubern?

Oder bestehen überhaupt die nötigsten Voraussetzungen in unserem Leben, damit die Erfüllung unserer Wünsche eintreten kann?

Wenn Sie etwa mit dem Ziel zaubern, Ihren Traumpartner kennenzulernen, wird Ihr Wunsch sich beim besten Willen nicht erfüllen können, wenn Sie Ihre Wohnung nur zum Einkaufen verlassen.

In einem Internetforum zum Thema Magie meldete sich einmal eine völlig verzweifelte Frau, die darum bat, dass wir ihr helfen, den Jackpot im Lotto zu gewinnen. Sie konnte sich nicht vorstellen, irgendwie zufrieden zu werden ohne diesen Lottogewinn. Sie sah keinerlei andere Möglichkeit mehr für sich. Alle im Forum verkehrenden Magier waren sich darüber einig, dass man dieser Frau nicht helfen kann. Wir konnten ihr lediglich einige psychologische Ratschläge geben, keiner jedoch konnte ihren Lottogewinn bewirken. Das Problem ist einfach, dass ein Sechser im Lotto mit Superzahl von vornherein derart unwahrscheinlich ist, dass keine Magie ihn garantiert herbeiführen kann. Mithilfe von Magie kann man lediglich die Wahrscheinlichkeit vergrößern, dass ein Ereignis eintritt. Wenn es wahrscheinlich genug ist, wird man erreichen, was man will.

Eine Kombination von Magie und realpraktischen Handlungen zum Erreichen eines Ziels ist daher in vielen Fällen ratsam. Magie sollte immer darauf abzielen, sich den Zufall günstig zu stimmen.

Es kann vorkommen, dass Magie nicht direkt zum gewünschten Ereignis führt, sondern nur eine Chance es herbeizuführen hervorbringt. Man wünscht sich zum Beispiel Geld. Anstatt eines Gewinns oder Geschenks beschert einem das Leben aber eine Chance es zu verdienen, im besten Fall auf einfache Weise. Derartige Ereignisse sind ganz klassische Resultate von Magie.

Wer Befürchtungen oder Hoffnungen in Richtung Allmacht oder Übermenschentum hegt, wird entweder enttäuscht werden, oder alles andere als ein souveräner Magier. Der Versuch den ganzen Kosmos zu zwingen, zu beherrschen muss zu Einsamkeit oder dem Erleiden von Rache und sonstigen Gegenreaktionen führen. Die verschlechterte Grundstimmung beim Betreten eines solchen Pfades sollte als Warnung aufgefasst werden. Sie führt nicht zu besseren Ergebnissen bei der Zauberei und sie als Zeichen von Auserwähltsein zu verstehen, ist im Grunde eine Falle, und das Verhängnis nimmt seinen Lauf. Sollten Sie derartige psychische Projekte angehen, überprüfen Sie bitte währenddessen ihre magische Fitness mit dem Bienenexperiment.

Nun, ich hoffe Sie haben mittlerweile Erfolge im Bienenexperiment erzielt. Sollte das der Fall sein, führen Sie sich bitte vor Augen, was daraus folgt, nämlich etwas, dass von vielen Menschen geleugnet wird, nämlich dass der Mensch wirkmächtig ist, dass er Einfluss auf die Realität haben kann, dass Sie selbst das können, dass Sie keinem Schicksal und keiner natürlichen Ordnung vollständig unterworfen sind.

Diesen Grundglauben sollten Sie behalten. Das Bienenexperiment beweist uns die Kraft des Willens, aber was ist mit dem Glauben?

Nun zunächst mal hat man in der Parapsychologie herausgefunden, dass Personen, die an paranormale Phänomene glauben, unter anderem in Psychokineseexperimenten besser abschneiden.

Es gibt noch andere interessante Erkenntnisse über die Kraft des Glaubens. In den 1970er Jahren wurde ein Buch mit dem Titel *Eine Gruppe erzeugt Philip* veröffentlicht. Die Autorinnen Iris M. Owen und Margaret Sparrow beschreiben ein Experiment, an dem sie teilgenommen hatten. Eine Laienforschergruppe hatte eine Figur namens Philip erfunden, sich seine Lebensgeschichte ausgedacht und die Umstände seines Todes. Tatsächlich hatte es diesen Philip niemals gegeben. Nun begann die Gruppe damit, Sitzungen im Stil spiritistischer Seancen abzuhalten, bei denen sie Philip direkt ansprachen, als existiere er als Geist, ihm Fragen stellten und auf Antworten warteten. Bald meldete sich Philip dann tatsächlich durch unerklärliche Klopfzeichen. Nach einer Weile konnte Philip einen Tisch durch den Raum bewegen, diesen eine Wand hoch tanzen lassen, einmal sogar die hölzerne Tischplatte stark verbiegen, ohne dass sie zerbrach.

Dieses Experiment führt uns deutlich vor Augen, was der Glaube bewirken kann. Wir können darüber nachdenken, was die Ergebnisse dieses Experiments uns über Religionen sagen. Der Chaosmagier macht sich entsprechende Tatsachen zunutze, wenn er mit Bestandteilen von Religionen und okkulten Traditionen arbeitet. Ist ein Glaubenssystem durch Glauben und Praktiken seiner Anhänger wirksam, können wir Elemente daraus selbst verwenden und durch rituelle Handlungen nutzbar machen.

Gehen wir zum Beispiel wie selbstverständlich davon aus, dass die indische Gottheit Ganescha wirklich existiert, sprechen mit ihm, vollziehen überlieferte Riten, die seiner Verehrung dienen, kann Ganescha in unserem Leben Veränderungen bewirken. Ich erwähne hier gerade Ganescha, da ich und andere Magier mit dieser Gottheit sehr positive Erfahrungen gemacht haben. Gerade Ganescha ist sehr wirksam und leicht zu beschwören, was wahrscheinlich darauf zurückgeht, dass er im Alltag von Hindus bis heute eine Rolle spielt und sehr viele Menschen an ihn glauben.

Chaosmagier verwenden Elemente aller Religionen und okkulten Traditionen für ihre Zwecke und sind Experten im Recherchieren von überlieferten Gottheiten, Formeln und Techniken, die ihren Zwecken dienen können. Dabei ist immer wichtig ein Glaubenssystem für ganz selbstverständlich hinzunehmen. Das ist die wirksamste Art des Glaubens. Ich glaube immer dann am stärksten, wenn ich meinen Glauben zur selbstverständlichen Voraussetzung einer Handlung mache, nicht, wenn ich angestrengt versuche mich von etwas zu überzeugen.

Ich schlage Ihnen vor, ein kleines Ritual auszuprobieren, das unter den richtigen Voraussetzungen Ergebnisse hervorbringen sollte. Kennen Sie die Principia Discordia?

Haben Sie schon einmal von Diskordianismus gehört? Nun, Sie sollten sich etwas darunter vorstellen können, damit das Ritual funktioniert. Lesen Sie bitte zumindest diesen Wikipedia-Artikel ! Sie können natürlich auch die ganzen Principia Discordia lesen, oder sich beispielsweise über die Werke von Robert Anton Wilson mit Aspekten des diskordischen Glaubens vertraut machen. Lesen Sie einfach soviel, wie Sie interessiert! Sowohl im erwähnten Wikipedia-Artikel als auch in den Principia Discordia finden Sie den Abschnitt *Der Pentabarf*. An dieser Stelle liefert der dritte Punkt die Anleitung zu dem Ritual, das ich Ihnen vorschlage. Von meiner Seite nur noch der Tipp, dass Sie dieses Ritual vielleicht an mehreren aufeinanderfolgenden Freitagen durchführen. Die Wirkung dürfte jedes Mal größer werden.

Sie dürften feststellen, dass sich an Ihrem Alltag etwas verändern wird, dass diskordische Mythen sich in Ihrem Leben manifestieren werden. In welcher Form, ist schwer zu sagen, da wir es eben mit der sehr launischen Göttin Eris zu tun haben. Nach meiner Erfahrung können auch unerwünschte schockierende Entwicklungen eintreten, die allerdings üblicherweise nach wenigen Tagen von selbst ausgeglichen werden und, was ihre Konsequenzen angeht, vollkommen harmlos sind. Hören Sie also rechtzeitig wieder mit der regelmäßigen Wiederholung dieses Ritus auf!

Sie sollten auf diese Weise erfahren, wie man ein magisches „Readymade" anwenden kann und wie weit die Wirkungen eines Rituals reichen können. Sie können auf unzählige Methoden aus der Geschichte des Okkultismus und der Religion auf dieselbe Art zurückgreifen und passend zu Ihren Zielen einsetzen. Die einzigen Grenzen sind die Ihres eigenen Glaubens und Einfallsreichtums. Sollten die Resultate einmal zuviel werden und in ungünstige Richtung gehen, hören Sie einfach eine Weile lang auf mit Magie. Normalität tritt immer wieder von selbst ein.

Wenn Sie am Anfang kein Talent für solche Arten von Magie haben, können Sie eines Tages immer noch das selbstverständliche Glauben erlernen, wie es für Ritualmagie nötig ist. Lesen Sie vielleicht Jane Roberts oder Sören Kierkegaard! Diese Autoren können Ihnen vielleicht beim Erlernen von effektivem Glauben helfen. Oder versuchen Sie es mit überlieferten Ritualen, deren

Ritualtexte Sie besonders anrühren oder sogar überzeugen!

Ihnen und Ihren Mitmenschen ist allerdings mit Sicherheit geholfen, wenn Sie wirklich nur für das zaubern, was Sie sich wirklich wünschen. Der berühmt-berüchtigte Anton Szandor LaVey hat einen unachtsamen Fluch ein Leben lang bereut. Es ist für Ihr ganzes Leben sinnvoll, wenn Sie herausfinden, was Sie wirklich wollen und was nicht, und das Erste, was einem Magier klar sein sollte.

Kein Buch über Chaosmagie, das nicht eine Passage über Sigillen enthält! Sigillenmagie ist tatsächlich eine derart bewährte Methode, dass auch ich nicht umhin kann, sie Ihnen näherzubringen. Das Seltsame daran ist, dass ich mit Sigillenmagie zu Anfang überhaupt keine Ergebnisse erzielt habe. Irgendwann habe ich allerdings irgendwie den Dreh rausbekommen. Sehr überrascht war ich, als ich mich einmal zurückerinnerte, welche Sigillenzauber ich vor Jahren gewirkt hatte. Ich musste feststellen, dass sich jeder Sigillenzauber, der nur lange genug zurücklag, mittlerweile erfüllt hatte.

Ich muss gestehen, in manchen Fällen trat die Erfüllung des Wunsches so lange nach dem Wirken des Zaubers ein, dass ich gar nicht mehr an den Zauber gedacht hatte, als sich mein Wunsch erfüllte. Und ich bin wesentlich gesünder und zufriedener mit vielen Aspekten meines Lebens als ich es vor Jahren noch war. Wenn Sie also mit Magie erst anfangen, machen Sie sich darauf gefasst, dass Sie vielleicht Geduld haben müssen bis Sie das bekommen, was Sie möchten. Aber wenn Sie einmal effektiv Sigillenmagie betreiben können, haben Sie fast schon eine Garantie dafür, dass Sie in ein paar Jahren eine zufriedenerer Mensch sind.

Natürlich kommt es auch vor, dass das Resultat eines Sigillenzaubers schon am nächsten Tag eintritt. Ich nehme an, die Wahrscheinlichkeiten für das Eintreten bestimmter Ereignisse können eben zu verschiedenen Zeiten ganz unterschiedlich ausfallen, es gibt unterschiedlich starke Widerstände. Wenn wir annehmen, dass wir ein Höheres Selbst haben, ist natürlich auch denkbar, dass dieses ein Leben nicht von einem Tag auf den anderen umkrempeln möchte, sondern in manchen Punkten gemächliche Entwicklungen vorzieht.

Steter Tropfen höhlt den Stein!

Die Technik der Sigillenmagie sieht vereinfacht gesagt wie folgt aus:

Ich formuliere meinen Wunsch in einem eindeutigen Satz, den ich aufschreibe. Dieser Satz ist in der Szene bekannt als *statement of intent*, kurz *SOI*.

Ich streiche alle Buchstaben, die mehrfach im Satz vorkommen, bis jeder davon nur noch einmal vorkommt.

Ich kombiniere die verbleibenden Buchstaben zu einem einzigen Symbol – dieses heißt Sigille.

Soweit sieht die Methodik fast immer gleich aus. Was nun der Theorie nach passieren muss, ist dass die Sigille ins Unbewusste gelangt. Wir müssen alle Zweifel umgehen, der Wunsch muss mitten in die wunscherfüllende Instanz in unserem Innern gelangen, den Teil von uns, der direkte Veränderungen in der Realität bewirken kann. Ich möchte Ihnen nicht vorschreiben, wie Sie das vollbringen. Gewisse Methoden, die andere Magier empfehlen, haben bei mir überhaupt nicht funktioniert. Ich musste selbst herausfinden, wie ich das anstelle. Finden Sie für sich heraus, wie Sie in einen Zustand geraten können, in dem Sie für Suggestionen empfänglich sind und starren in einem solchen Moment auf Ihre

Zeichnung der Sigille oder visualisieren Sie diese.

Ein irgendwie veränderter Bewusstseinszustand wird wohl auch in ihrem Fall nötig sein, diesen nennt man in der Chaosmagie *Gnosis*. Manche Magier erreichen Gnosis durch Trommeln oder Tanzen, manche durch Meditation, manche beim Sex.

Des Weiteren wird empfohlen, den Wunsch nach dem Wirken des Zaubers zu vergessen. Dieses Vergessen ist so eine Sache für sich. Es ist meiner Erfahrung nach nicht einmal nötig, sich nach dem Sigillenzauber nicht mehr daran erinnern zu können, was man sich gewünscht hat. Nur sollte man es vermeiden, ständig darüber nachzudenken. Man sollte zu alltäglichen Verrichtungen zurückkehren, als sei einem der Wunsch vollkommen gleichgültig, ohne Bangen und Hoffen. Der Wunsch ist jetzt ohnehin erledigt, Sie haben den Zauber ja nun gewirkt.

Ein anderer Ratschlag von mir mag scheinbar im Widerspruch dazu stehen. Es kann von Vorteil sein, sich in irgendeiner Weise zu schwören, dass der Wunsch sich erfüllt, mit dem Zauber nicht nachzulassen, bis das erwünschte Ergebnis eintritt. Man wirkt den Zauber, der Zauber wird gewirkt. In der Praxis lässt sich das seltsamerweise miteinander vereinbaren, ohne dass ich erklären könnte, wieso. Es ist eben Zauberei.

Es bringt nichts, wenn ich zu konkrete Ratschläge gebe, sie werden selbst die Technik der Sigillenmagie so für sich umändern müssen, dass Sie funktioniert. Wenn sie ein Experte werden möchten, sollten Sie ohnehin *Das Buch der ekstatischen Freude* von Austin Osman Spare lesen, wo die Grundform dieser Technik mit Spares eigener Theorie zusammen erläutert wird. Diese Lektüre dürfte Ihnen besonders dazu verhelfen, die wunscherfüllende Instanz in ihrem Innern zu erspüren.
Ich nenne sie Freiheit, Kia oder schwarze Schlange.

Trickreiche Empfehlungen meinerseits habe ich noch. In manchen Fällen hilft es, die Sigille aufzuzeichnen und die Zeichnung an irgendeinem Ort aufzuhängen, an dem man häufig vorbeikommt. Irgendwann schenkt man der Sigille überhaupt keine besondere Beachtung mehr, sie befindet sich im subjektiven Hintergrund und gelangt damit garantiert ins Unbewusste.

Ich entwickelte vor Jahren eine Sonderform der Sigillenmethode, bei der die Gnosis mit technologischen Hilfsmitteln erreicht wird. Mit sogenannten Binaural Beats kann man die Gehirnaktivität in bestimmte Richtungen beeinflussen. Recherchieren Sie und besorgen Sie sich Binaural Beats (z.B. im Internet) für die sogenannten Theta- und Delta-Zustände.

Im ersten Schritt hören Sie sich über Kopfhörer die Binaural Beats für den Theta-Zustand an und formulieren währenddessen, während Sie sich im Theta-Zustand befinden, das Statement of Intent und fertigen die Sigille an. Die Idee ist, dass Ihr Wunsch mit dem kollektiven Unbewussten in Einklang gebracht wird und Widersprüche zu diesem aufgehoben werden, während Sie die richtige Formulierung finden.

Begeben Sie sich dann auf die gleiche Weise in den Delta-Zustand, dem von manchen Leuten eine besondere Eignung für Psychokinese zugesprochen wird, uns starren Sie auf die Sigille.

Danach machen Sie Pause! Bald sollten Sie eine energetische Veränderung in ihrem Innern verspüren. Der Zauber will raus und wirken.

Begeben Sie sich wieder in den Theta-Zustand! Der Zauber sollte herausschießen und im Kollektiv die gewünschten Veränderungen bewirken.

Das „Vergessen" des Zaubers ist übrigens mit dieser Methode besonders einfach.

All das sind nur Methoden, und diese haben nichts mit irgendwelchen ernstzunehmenden wissenschaftlichen Behauptungen zu tun. Es geht nicht um wissenschaftliche Erkenntnisse, es geht nur um das Funktionieren des Zaubers.
Jedenfalls ist es gut möglich, dass diese Methoden für Sie nicht funktionieren. In der Magie allgemein und der Chaosmagie im Besonderen hängt alles davon ab, dass Sie es für sich so hinbekommen, dass es funktioniert. Ich habe dafür überlieferte Techniken abwandeln und eigene entwickeln müssen. Das kann auch Ihnen bevorstehen, ist aber eine lohnenswerte Aufgabe.

Hier noch eine weitere Methode, die auf ähnliche Art Resultate hervorbringen kann wie Sigillenmagie:

Setzen Sie sich ruhig und bequem hin, schließen Sie die Augen und halten ihren Gedankenfluss an. Vielleicht können Sie in diesem Zustand ein leises Rauschen hören. Wir werden uns dieses Rauschen vorstellen als *Summe aller Möglichkeiten*.

Ob Sie dieses Rauschen nun hören oder nicht, ist eigentlich unwesentlich. Was Sie brauchen ist irgendeine Intuition der *Summe aller Möglichkeiten*, während Sie ganz still und zentriert dasitzen.

Nun unternehmen Sie folgendes: Spüren Sie in der *Summe aller Möglichkeiten* die Möglichkeit eines erwünschten Ereignisses auf. Irgendwo hier existiert das, was Sie sich wünschen als Möglichkeit.

Sie sollten weniger diese Möglichkeit selbst als Vorstellung hervorbringen als sie *aufzufinden*. Wenn Sie die gewünschte Möglichkeit gefunden haben, *ziehen Sie diese in ihren Körper oder Kopf*, wobei Sie die Möglichkeit konstant beobachten sollten.

Ziehen sie die Möglichkeit so weit in sich hinein, dass Sie sie in sich behalten können, sie möglichst konstant beobachtend.

Nun *genießen Sie die Möglichkeit*! Gemeint ist ein wirkliches körperliches Genießen, das Sie immer weiter steigern sollten, wodurch die Möglichkeit mit Ihrem derzeitigen Zustand verschmelzen sollte.

Wenn Sie sich wirklich auf diese Möglichkeit *eingeschwungen* haben, ist es Zeit, wieder die Augen zu öffnen und ganz normal mit Ihrem Alltag fortzufahren, optimistisch-indifferent gegenüber dem, was Sie sich gewünscht haben. Wie bei der Sigillenmagie ist das relative „Vergessen" Ihres Wunsches sinnvoll.

Diese Übung intensiv in einer halben Stunde zu machen ist effektiver als schludrig in zehn Minuten.

Die Übung kann eine schnelle Verbesserung Ihrer Situation bewirken und verblüffende Ereignisse eintreten lassen, wie immer im Rahmen von Zufall und realer Wahrscheinlichkeit.

Die bis hierhin beschriebenen Techniken könnten ausreichen, damit Sie bekommen, was Sie möchten. Nun hängt es allerdings auch von Ihrer Lebenseinstellung ab, ob Sie effektiv Magie betreiben können. Wichtig ist zum Beispiel, dass Sie sich dem Thema angstfrei nähern können. Wenn Sie zudem einigermaßen gelassen und relativ zufrieden durchs Leben gehen, dürfte

Ihnen auch das Zaubern leichter fallen, als wenn Sie völlig verzweifelt und deprimiert sind.

Sollte Ihr Zustand ein derart unglücklicher sein, lernen Sie als erstes zu genießen, was Sie schon haben und was Sie schon tun, und begeben Sie sich dann erst langsam an die Erfüllung weiterer Wünsche!

Es ist für das Betreiben von Magie von Vorteil sich selbst zu kennen, beschäftigen Sie sich mit Ihrer, der menschlichen Natur und Ihrem eigenen Charakter. Meditation ist sinnvoll.

Sie sollten einigermaßen zentriert sein, nicht dazu neigen, ihre Hoffnungen an „höhere" Instanzen oder Wesenheiten zu knüpfen oder Ihre Verantwortung an solche abgeben zu wollen.

Wenn sie auf irgendeine Weise aktiv an sich selbst arbeiten, wieder wäre Meditation eine Möglichkeit, Beschäftigung mit Esoterik oder Philosophie oder eventuell sogar Sport, kann das nur helfen, wenn Sie mit Magie Erfolge erzielen wollen. Und schließlich arbeitet Magie mit gewissen Tricks, wie Sie inzwischen bemerkt haben sollten. Vielleicht müssen Sie für sich selbst herausfinden, wie Sie derartige Tricks für sich selbst anwenden können. Man muss sich der Thematik findig und gewitzt nähern, wie ein Tüftler im Bereich des Psychischen.

Sie sollten auch daran arbeiten, dass das, was Sie über sich selbst und die Welt glauben, Magie begünstigt.

Beschäftigung mit wissenschaftlichen Themen ist, auch wenn Sie es mir nicht glauben wollen, für Magier sogar sinnvoll. Themenbereiche wie Quantenphysik oder Systemtheorie haben schon vielen Magiern wichtige Anstöße geliefert, die Ihre Magie nur effektiver gemacht haben.

Eine Sache, die besonders für Chaosmagie charakteristisch ist, ist dass diese Magier den ganzen Okkultismus und alles, was Sie tun, nicht zu ernst nehmen. Wenn eine Gottheit oder ein Dämon zuviel Autorität beansprucht, wird er verlacht und damit in seine Schranken verwiesen.

Nun habe ich mich in diesem kleinen Text besonders auf die Erfüllung persönlicher Wünsche konzentriert und auch das ist nicht das ernsteste Thema. Es ist tatsächlich so, dass Magie nicht immer perfekt funktioniert. Man mag sich viel Geld gewünscht haben und alles, was passiert, ist, dass man einen Eurocent auf dem Bürgersteig findet. Leider ist das dann meist schon die Erfüllung des Zaubers und nicht ein Zeichen, dass noch mehr kommt.

Wenn Sie allerdings durch Magie schon einmal genau das bekommen haben, was sie wollen, dann sehen Sie doch einfach wie irrwitzig ein solches Ergebnis ist.

Sie sind anscheinend ein Wesen, das Wirkungen erzielen kann in einem vollkommen indifferenten und sinnentleerten Universum. Sehen Sie bitte mal die Komik, die in diesem Verhältnis liegt! Verstehen Sie ruhig voll und ganz Ihre Wichtigkeit, aber rücken Sie sie ins rechte Licht und sehen die Ironie daran!

Wenn man darüber genügend nachgedacht hat, gibt es keine andere Möglichkeit als weiterzumachen, denn Sie sind nun mal Sie selbst. Jedem, der mehrmals das I Ging befragt hat, ist schon der Satz „Fördernd ist Beharrlichkeit." untergekommen.

Es lohnt sich auch in der Magie in den meisten Fällen stur zu bleiben, wiederholt an Unternehmungen zu arbeiten. Sie können ihre Willenskraft genau so trainieren, wie Sie ihre Muskeln mit wiederholtem Stemmen von Hanteln trainieren können.

Vergessen Sie nicht, dass die Wahrscheinlichkeit, dass Sie bekommen, was Sie wollen, sich im Verlauf der Zeit immer wieder ändert. Wenn Sie sich nur einmal einen Wunsch mit Magie erfüllt haben, gibt es keinen Grund mehr ganz aufzugeben.

Selbst wenn Sie nicht alles bekommen, was Sie wollen, wird Ihr Leben, wenn Sie nicht nachlassen, immer mehr erfüllende Momente enthalten. Ein Weg dorthin ist Magie.